童話陪審團

偷親睡美人的王子，你有罪！

耳熟能詳的童話故事 X 連結生活的公民素養
探究無所不在的刑法知識

法律白話文運動 著

目錄

河馬文具行

理解法治教育，從小做起會更好！

文／劉珞亦（「法律白話文運動」社群總監）

「法律白話文運動」是由一群期待臺灣擁有法律專業媒體的法律人所組成的。我們一直以來都是透過比較白話、通俗的方式，來跟大眾講解法律的概念，希望能讓這個社會更理解法律，免於產生不必要的誤會。而法治的概念，如果能從小做起當然更好，於是有了這次《童話陪審團》的出書計畫。不過，當我們開始書寫時，發現要將繁雜的法律知識轉化成孩子能理解的語言，難度也更高了。謝謝本書的作者郁真、涵茵，每次都能寫出有趣又好玩的文案，讓法白的精神發揮到極致。我們希望透過這個系列，讓孩子從一個個童話故事的劇情出發，引領他們進入法律世界與思考，在小讀者不知不覺讀完書的過程中，自然而然就了解法律知識。

這套書的書名叫做《童話陪審團》。但是目前臺灣法院中並沒有這種陪審團制度，只有 2023 年即將上路的「國民法官」制度。所以對於書的標題我們掙扎很久，但又想不到更好的狀況下，考量到「陪審團」本身詞意概念對一般人而言較直觀，加上我們希望能夠讓孩子從共同參與的角度，與童話法官一起思考這些法律事件，因而命名為《童話陪審團》。

其實為了這個，我們辦公室辯論了一個早上，討論到底要不要用這個標題當作書名。

為什麼要特別提及這件事？因為這就是我們工作室的日常──討論法律

的概念，更多的是討論一個法律概念要怎麼呈現。老實說，法律條文其實滿無聊的，如果沒有特別需要涉及法律案件，一定會覺得我又沒犯罪，法律到底關我什麼事。

法白在做的事情，從表現上是傳達法律概念，但如果更深層的來看，你一定會發現，我們都在思考怎麼引發大家的好奇心來了解法律。可能是一個有趣的標題，可能是社群文案中的文字必須要轉譯成非常簡單的模式，又或者是在我們 podcast《法客電臺》中加入一些有趣的橋段，才能成為吸引大家關注的餌，讓大家願意讀下去、聽下去，裡頭我們都會盡可能融入法治的現場，讓讀者、聽者不知不覺中就吸收法律的概念。而明年要上路的「國民法官」，就更是一場大型的法治教育現場，要人民一起參與審判，增加多元的視野來認定事實，但同時也會需要法官、檢察官一起來向參與審判的民眾講解案子中的法律概念。當法治和人民的關係更加靠近，並且進展到法庭的時候，那就意味著未來需要更多人理解法律這件事。

此外，隨著科技越來越發達，法律的觸角更是深入到每天的日常行為中，例如網路上創作者的智慧財產權、手機的發達增加隱私權的保護焦慮、到處充滿鏡頭的城市或日益嚴重的數位性暴力等議題，這些在在都顯示法律充斥在我們生活的每一個角落，理解法律的重要性已經與日俱增。

因此，相對於 50 年前，對現代人而言，「年紀越小就開始了解法律」的必要性也更加提高了。希望法白和親子天下合作的《童話陪審團》，可以讓大家藉由有趣的童話故事，來思考裡面的法律觀點，不知不覺中理解一些法律的知識。

你準備好翻開這本書了嗎？

用經典童話橋段，探討刑法問題

文／黃郁真（《童話陪審團》作者之一）

小時候閱讀童話故事，只覺得裡面充滿幸福快樂的要素，但細讀便會發現，這個美好世界中其實存在許多觸犯法律、不適當的行為。如何用輕鬆的方式帶出嚴肅的議題，吸引大眾閱讀，進而達到討論的目的，是法白始終不變的理念。《童話陪審團》系列希望能用法律的角度切入，在保有童話故事趣味性的同時，加入一點反思，甚至是法治意識的培養。

第一冊是以《刑法》與《憲法》為主軸。在眾多耳熟能詳的童話故事中，我們挑選出部分經典的橋段作為討論的重點。舉例來說，大家都知道王子的一吻拯救了睡美人，但王子這樣隨意親一個陌生人（對！他一開始並不認識公主！），這個行為真的沒問題嗎？美女與野獸之間看似是一段不問外在、為人稱頌的浪漫愛情，但野獸擅自把美女拘禁在城堡中，其實是一種犯罪？玉皇大帝因故將孫悟空、豬八戒及沙悟淨趕出天庭領地，那國家可以把人民趕出自己國家嗎？這些問題都很有意思，也值得我們深思。

最後，這本書得以順利誕生並出版，必須感謝法律白話文運動團隊的夥伴，特別是珞亦的用心付出與伯威、又慈的協助。謝謝摯友涵茵願意與我一起擔任作者，謝謝辰祐在寫作初期提供許多材料與建議，你的存在跟陪伴對我來說就是最大的動力，謝謝家人各方面的支持，我愛你們。

現在，就跟著我們
一起加入童話陪審團，
開始進入童話現場吧！

你不可不知的法律五件事

想像一下，如果有一群人居住在一棟大樓裡，大家都依照自己的需求生活，有些人半夜不睡覺，在家裡跳舞、吵鬧，是不是會影響彼此的生活？

隨著人類聚集在一起生活，開始需要制定「規則」，好讓大家彼此之間相處和樂。規則制定好後，就會要求大家一同遵守，以減少團體中有人為所欲為的狀況；而規則越多就慢慢形成了法律，社會也漸漸形塑成法律所規範的樣子。

「法律」是什麼時候出現的？

不過，世界上最早出現的法律已經不可考了，目前公認最早有系統的是《漢摩拉比法典》。這部法典是在西元前 1754 年由古巴比倫君王漢摩拉比頒布的，特色就是「以牙還牙」──法典裡規定如果打掉別人一顆牙齒，自己也要還一顆牙齒給別人。

從現代的眼光來看，這樣的應報 * 似乎過於嚴苛了，畢竟一個行為都要綜合各種不同的狀況來判斷，例如究竟是故意還是過失，處罰就會有所不同。不過，至少法典將規則說得很清楚，處罰不是隨便的人說了算，而是明文規定在法典中讓人民有明確規範可以依循。

＊「應報理論」是指根據以牙還牙的觀念，用嚴厲的刑罰來平衡犯罪造成的傷害。

臺灣最早的法律，是什麼時候出現？

臺灣較有系統的法律，應可回溯至日治時期。西元 1896 年，由日本帝國國會頒布第 63 號法律（簡稱《六三法》），賦予臺灣總督府極大權力，從此總督府可以自行制定具有法律效力的命令。這種由行政機關制定法律的方式，與當時日本本國、由帝國議會負責「立法」有所不同，當然也跟現代由「立法院」來制定法律、由立法體系來監督執行政策的行政體系不同。

現行的《憲法》是在中華民國政府來臺後，將原先在中華民國使用的法律帶來臺灣，難免與現實產生許多差距。例如，當時的憲法是以 1946 年中華民國的領土單位制定，但與來臺後的實際有效統治範圍有明顯的落差，所以後來我國憲法又陸續經過七次修憲增修修文，才形成現行的版本。

第一條 臺灣總督ハ其管轄區域內ニ法律ノ效力ヲ有スル命令ヲ發スルコトヲ得
第二條 前條ノ命令ハ臺灣總督府評議會ノ議決ニ依リ拓務大臣ヲ經テ勅裁ヲ請フヘシ臺灣總督府評議會ハ勅令ヲ以テ之ヲ定ム
第三條 臨時緊急ヲ要スル場合ニ於テ臺灣總督ハ前條第一項ノ手續ヲ經ステ直ニ第一條ノ命令ヲ發スルコトヲ得
第四條 前條ニ依リ發シタル命令ハ發布後直ニ勅裁ヲ請ヒ且之ヲ臺灣總督府評議會ニ報告スヘシ勅裁ヲ得サルトキハ總督ハ直ニ其命令ノ將來ニ向ワ效力ナキコトヲ公布スヘシ
第五條 現行ノ法律又ハ將來發布スル法律ニシテ其全部又ハ一部ヲ臺灣ニ施行スルモノハ勅令ヲ以テ之ヲ定ム
第六條 此法律ハ施行ノ日ヨリ滿三箇年ヲ經過シタルトキハ其效力ヲ失フモノトス

局部六三法條文

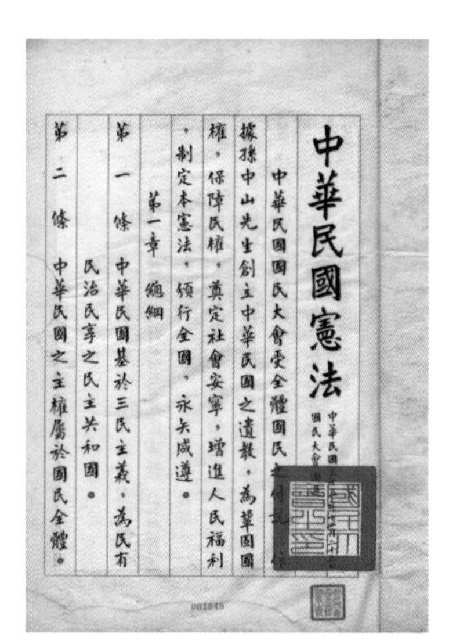

中華民國憲法

中華民國國民大會受全體國民之付託，依據孫中山先生創立中華民國之遺教，為鞏固國權，保障民權，奠定社會安寧，增進人民福利，制定本憲法，頒行全國，永矢咸遵。

第一章 總綱

第一條 中華民國基於三民主義，為民有民治民享之民主共和國。

第二條 中華民國之主權屬於國民全體。

中華民國憲法的原件首頁

爲什麼需要那麼多種條文規範？

一個國家不是僅靠一部《憲法》就能規範管理，因此針對不同的領域，會有不同的規範來處理各種糾紛或問題。

法律大致上可以分成三種，第一種為「憲法」、第二種為「法律」、第三種為「命令」，層級則是憲法→法律→命令。憲法的層級最高，所以法律不可以違反憲法，命令不可以違反法律。

由於《憲法》是裡頭層級最高的，所以內容相當廣大與抽象，是作為國家人權保障的方向及政府體制的基礎。例如：

「人民有居住及遷徙之自由。」

「人民有言論、講學、著作及出版之自由。」

「人民有集會及結社之自由。」

《憲法》給予人民各種「自由的權利」，但不是讓我們無限上綱。因此要將「人權」落實到生活中，還需要透過各種規範、法律，好讓人民有依循的根據。舉例來說《憲法》中規範人民有集會結社的自由權利，但這不表示我們可以隨意在任何地方聚集，或是任何時間都能號召幾百人上街頭霸占馬路。因此立法者便訂定了《集會遊行法》或是《人民團體法》，來規範集會結社的權利。《人民團體法》中就明定：「前項分級組織之設立，應依本法規定向當地主管機關辦理。」所以，想成立立案團體，得依《人民團體法》相關規範才能成立。

另外，我國也針對兒童設有特別的法律規範，像是《兒童及少年福利與權益保障法》。畢竟兒童年紀很小（法律上兒童指的是未滿 12 歲的人），當然不能用對待成年人的規定來處理，必須另用專法來保護幼小的兒童。

由此可知，「憲法」給予人民「權利」，但「法律」來落實以及平衡我們的「權利」，「命令」做更細節性的調整，這樣才能真正的保障人民。

最常聽到的《民法》和《刑法》有什麼不同？

大家最常聽到的就是《民法》和《刑法》。

國家認為你不能做的事情，就會放在《刑法》裡面加以規範，例如殺人、偷竊、詐欺等；所以萬一做了，就會面臨很嚴苛的處罰，像是判刑或關進牢房裡等。所以，只要是《刑法》規範的範圍，都是不能做、一做就要受罰的事情。

《民法》則是規範人與人之間發生的法律關係，例如買東西、租房子、結婚等，都是《民法》的範疇；如果今年有兩個人發生衝突，就會是《民法》登場的時刻了！《民法》功能跟《刑法》不一樣，不是在禁止人民的行為，而是在人和人之間發生糾紛時，用《民法》來處理紛爭，讓雙方有平衡

的可能，例如車禍時雙方都有錯，所以怎麼樣處理讓大家都可以接受，才是真正的重點。

法律是由誰制訂、執行的呢？

在臺灣，法律的設立是透過一連串的審議制度才能立法。立法的第一步得先提案，行政院、司法院、考試院、監察院、立法委員都能提案，爾後交給程序委員會，進入院會經過審查、討論及反覆修正，直到三讀會通過後，才會由總統公布。

有了法律後，一旦發生牽涉法律問題的案件時，就有可能會演變成訴訟。當然，一旦上了法庭，必須有人來決定每一個案件的對錯，而這樣的角色就是由大家最耳熟能詳的「法官」來擔任。

除了法官，還有哪些人會在法院中出現呢？我們一起來看下一頁的角色介紹和相對位置。

法官

公正的聆聽原告、被告兩造雙方的說法，並做出判決。

書記官

記錄在法庭裡發生的一切事情。

被告

相對於「原告」，被告設法論證自己是無罪的。

原告

在法律訴訟程序中，首先啟動或提起訴訟的一方或多方當事人。

律師

為自己的當事人最大的利益進行辯護。在民事審判中一審和二審沒有「強制訴訟代理」，也就是要請律師或是不要請都可以，除非是第三審才是一定要有律師。

證人

對於案件中待證事實有親自見聞的人，在澄清犯罪及發現眞實具重要地位。

檢察官

刑事法庭中，原告席是檢察官，代表國家來進行追訴被告。在法庭上，檢察官的工作就是要論證被告有罪。

旁聽人

對於公開審判案件，允許當事人以外的民眾，可自由至法院旁聽。不過，針對特定案件，如性侵害案件，因保障特定當事人且涉及當事人隱私的案件，則不能旁聽。

如果法律有問題，該怎麼辦呢？

法律經過繁複的流程才制定，有沒有可能會有錯誤呢？當然會！由於法律並不是訂定後，就永遠無法改變，像是有些法律是在特殊的時空背景下制訂的，可能只適合在那個時代背景，之後就不合時宜了；又或者法律規定本身有問題，這時該怎麼辦呢？在臺灣，有兩種方式來監督法律的運行。

第一種方式就是立法委員。立法委員具有提案法律的權利，當然也可以針對不適合或是錯誤的法律內容提出修正。像是在戒嚴時期所訂定的《懲治叛亂條例》，裡面有思想罪的規定，後來在輿論以及抗議的壓力下，立法委員也提出修正，刪除這個條例。

第二種方式就是大法官機制了。如果有人對於法律不滿意，或是認為有法律規定違反《憲法》，就可以透過聲請「大法官解釋」，由大法官進行判斷，決定究竟法律或命令有沒有違憲。若是大法官如果認為不對，可以宣告違憲而使規範失效。近年的同性婚姻，便是透過大法官解釋的例子。由於《民法》裡面沒有同性婚姻相關規範，所以被大法官解釋宣告違憲，因此後來立法院立了相關的法律，讓臺灣的同志可以結婚。

法律會隨著時間和社會的變化，不停的前進、改變、續造、不會停止，是不是很有趣呢？

然而，有時候法律的規定沒有問題，是適用在個案上的時候有問題。過去就曾有過這樣的例子，法律禁止一個人結兩次婚，但過去戰亂時期，許多一家之主跟著國民政府來到臺灣，留下妻小在對岸，想著很快就會反攻大陸，沒想到國民政府來臺後，一直無所作為。這些人也只能斷絕念頭，決定在臺灣重新成家立業。

這樣的決定很無奈，可是法律禁止一個人結兩次婚的規定也沒有錯，在這樣的狀況下，大法官沒辦法說法律是錯的，卻也很難給予個案應該得到的救濟，因此就在 2022 年年初，將「大法官解釋」法庭化，使個案的脈絡也有機會被檢視。

01 偷拿媽媽的錢，會被關嗎？

紅舞鞋的故事

凱倫家境貧窮，跟媽媽兩人相依為命。鞋匠覺得她很可憐，於是就送了一雙鞋給她。

哇，好漂亮喔！

這給你吧！

不過好景不常，凱倫的媽媽因病去世，凱倫難過的將媽媽安葬。

幸好有位好心的婦人經過，她看到孤苦無依的凱倫，就決定收養凱倫。

老婦人帶凱倫回家，讓凱倫學讀書寫字，還請了老師教她跳舞。
凱倫非常喜歡跳舞，她覺得跳舞時的自己很耀眼。

有一天，凱倫看見公主穿著紅舞鞋，她非常羨慕。

沒想到，買到的是一雙受
詛咒的紅鞋子。穿上後，
凱倫只能不斷的跳舞……

偷任何東西，都會犯竊盜罪嗎？

故事中，凱倫沒有經過老婦人的同意，就擅自拿錢去買了紅舞鞋。

我們知道，沒有經過他人的同意就拿走對方的東西，叫做「偷」，在法律上則稱為「竊盜」。立法者在《刑法》中禁止竊盜行為，但因為違反《刑法》的人可能會被國家罰錢或被關起來，這種處罰的後果比較嚴重，所以立法者必須清楚的告訴人民怎樣會違反「竊盜罪」。

竊盜罪主要有三個要件：

1. 沒有經過他人的同意。

2. 取得他人「持有」的「動產」。

3. 明明知道自己沒有權利取得此物品，卻想要納為己有，不還給對方使用。

首先可能會產生疑惑的是，什麼叫做「動產」？

《民法》將實體的物品分成「不動產」及「動產」兩類。不動產是指土地，以及不屬於土地的一部分但持續附著在土地上、不容易移動的物品，例如房屋、橋梁、軌道等。不動產以外的物品則都屬於「動產」，例如錢包、手機、金銀珠寶等。

未經他人同意取得「動產」，會違反「竊盜罪」；而如果是取得「不動產」，則會違反「竊占罪」。例如趁著屋主不在家時闖入房屋，並把鎖換掉霸占該屋，就屬竊占罪的範疇。

不過，如果偷的「東西」不是看得見、摸得到的物品，也可以算竊盜或是竊占嗎？像是偶爾有新聞報導提到有民眾發現自家電費帳單突然暴增，經過檢查後，才發現被鄰居偷用。由於「能量」不是實體的物品，無法歸類於不動產或動產，因此偷電的行為，原本在法律上不會構成「竊盜罪」或是「竊占罪」。不過，立法者認為，這種偷用他人無形體東西的行為若不規範，顯然會讓小偷有機可趁，因此立法者又多設立了一個條文，將電能、熱能及其他使用後會消耗、耗損的物質視為「動產」，若未經他人同意取得，仍會成立「竊盜罪」。

另外，竊盜罪是要懲罰小偷剝奪他人「支配」、「管理」、「使用」物品的權利，因此就算物品目前不在所有人的手上，而是由另一個人持有，只要未經同意從「持有人」身邊取走，就會侵害持有人「支配」、「管理」、「使用」物品的權利而可能違法。

例如同學把手機借給我玩，但手機被小偷偷走了，雖然那臺手機不是我的，但小偷未經我的同意就把手機拿走，仍然侵害了我使用手機的權利，因此會觸犯竊盜罪喔！

如果只是「借用」，不算偷，這樣是可以的吧？

有一句話是這樣說的：「不告而取謂之偷」，那物歸原主還算不算偷呢？

舉例來說，放學時下大雨，同學因為沒有帶傘出門，便拿了其他人放置在教室門口的傘回家，心想：「借一下雨傘，之後還應該可以吧？」隔天早上便將傘放回原處。同學明知道自己沒有取得雨傘的權利，卻未經主人的同意拿走雨傘；但要注意的是，同學只是想要「借用」，並沒有要將這把雨傘「納為己有」、「再也不歸還」的意思，這類情況稱為「使用竊盜」。

立法者認為這種情況沒那麼可惡，對主人的財產侵害很小，不需要動用國家權力處罰，而且也不符合最後一個要件，所以不會成立竊盜罪。或許有人會認為不合理，難道有歸還就不叫偷了嗎？法律本來就是道德的最低標準，這樣的行為雖然沒有違法，也不應該被鼓勵，所以千萬不要覺得忿忿不平，因為法律本來就不會處罰所有你認為不對的事情。

凱倫擅自拿老婦人的錢去購買紅舞鞋，顯然符合了竊盜罪的要件。但如果受害的老婦人決定原諒她，她還會被關嗎？

《刑法》將不同罪名分成「告訴乃論」及「非告訴乃論」兩類。「告訴乃論」是指此罪名必須要有「人」提告，檢察官跟法院才可以追究加害者的責任；如果沒有人提告或已撤回提告，檢察官就不可以擅自追究加害者的責任，因為若連被害者自己都不計較，代表公權力的檢察官就沒有必要「多管閒事」。

相反的，如果是屬於「非告訴乃論」的罪名，就算沒有人提告，只要案件涉及這類型的罪名，檢察官就可以主動追究加害者的責任，因為這類罪名通常有關人民的生命安全，比較重大，加上被害者可能已經死亡無法提告，所以檢察官會主動扮演「替天行道」的角色追究責任，例如殺人罪、強盜罪、放火罪等。

目前竊盜罪是屬於「非告訴乃論」的罪名，也就是說即使物品的主人報案後決定原諒小偷，警察仍須將案件移送到地檢署；一旦檢察官決定起訴後，刑事訴訟程序就不會停止。不過，如果是一定親等的家人之間犯竊盜罪，考量到家人間特別緊密的關係，立法者開出例外讓此時的竊盜罪變成「告訴乃論」，若家人不想提告或已撤回提告，公權力就不能追究加害者的責任了。因此，如果老婦人選擇原諒凱倫而沒有提告，凱倫就不會被懲罰。

然而，將竊盜罪算在「非告訴乃論」的範圍內，常常被批評太多管閒事，畢竟部分的人偷食物是過於貧窮而飢寒交迫所逼，或是患有竊盜癖的心理疾病；加上竊盜罪僅侵害到財產問題，並未涉及到較為重大的生命、身體議題，此時若財物的主人不願提告，其實公權力就沒有必要替天行道。

Q 有店家張貼警語：「請勿偷竊，竊盜罪是公訴罪」，這是什麼意思？

A 其實臺灣並不存在「公訴罪」這種罪名分類，所以這句話的表達是有問題的。

這裡所說的「公訴」是一種「起訴的方式」，如果由代表國家的檢察官，替被害者或社會追究犯罪而提起訴訟，都叫做「公訴」；相對的，如果被害者一方想要「自己來」，也

就是自己調查、自己蒐集證據、自己追究犯罪並提起訴訟，就叫做「自訴」。但因為提起刑事訴訟不需要繳交裁判費，為了避免民眾濫訴，立法者規定如果選擇自訴，民眾就一定要請律師。

因此，公訴跟自訴是不分罪名的！店家所要表達的應該是「竊盜罪是非告訴乃論罪」，也就是說即使店家不提告，檢察官也會偵辦此案件。

若以後想用公權力來介入與嚇阻犯罪的話，記得不要搞錯了喔！

不動產和動產

一般我們看到的不動產，就是土地、房子這種類型。如果用抽象的概念來敘述，大法官曾經說過，所謂的不動產就是指它具有「獨立性、固定性、永久性」，否則就應該是動產。而不動產畢竟具有很強的固定性，且經濟價值也較高，因此在制度設計上一定會比較謹慎。

所以一般的動產交易，只要雙方把錢或貨物交給彼此，基本上轉讓就算完成。但是如果是不動產，那就必須還要進行「登記」的動作，才算轉讓完成喔！

非告訴乃論

《刑法》當中的罪名可以分成「告訴乃論」以及「非告訴乃論」。「告訴乃論」就是你要提告，檢察官才會啟動偵查，如果你不提告檢察官就不會有動作；而「非告訴乃論」則是檢察官只要「知道」有犯罪事實，就可以啟動偵查。

簡單來說，若涉及的是告訴乃論罪，被害人、被害人的法定代理人或配偶必須跑去提告，檢察官才會辦案；反之，若涉及的是非告訴乃論罪，只要檢察官知道，即便沒有人要提告，檢察官也會辦案。所以後者通常所涉及的罪行，都會比較嚴重，例如殺人罪。

偷東西就是
犯了竊盜罪，
要注意喔！

02 開別人的房間，有罪嗎？

藍鬍子的故事

他的妻子迫不及待打開每間房間，對各種金銀財寶愛不釋手。直到……

千萬不要進去！
進去看看沒關係啦！

咔!
啊啊!

不是跟你說過，
不要打開這間房間嗎？

藍鬍子的妻子錯了嗎？

藍鬍子的妻子出於好奇心，窺探藍鬍子不想給別人看的房間，這樣算不算是犯罪呢？

首先，我們要先了解──「不想給別人看或聽」的內容，本質就是「祕密」；既然是祕密，當然不希望被公布出來，搞得連同學、鄰居、路人全都知道，畢竟祕密還是越少人知道越好啊！

因此，立法者用《刑法》來規範三種被侵犯的祕密：

1. **沒有理由，就拆開別人密封起來的信、文書或圖畫。**
2. **沒有理由，就用工具或設備去窺探別人不想被知道的言論、活動或是身體隱私部位。**
3. **沒有理由，就用錄音、照相、錄影等方式竊錄別人不想被知道的言論、活動或是身體隱私部位。**

如果「信件、文書或圖畫」已經被密封，就代表擁有者不想給別人看，因此也屬於「祕密」。加上目前的科技發展，使用特定工具像是望遠鏡、監視器等，來侵害別人不想公開的生活，就可能構成犯罪行為，因為這些工具可以讓人看得比肉眼更多、更仔細，甚至可以透過工具的錄音、錄影、照相功能，全天候隨時隨地的大量儲存、複製或重複播放，嚴重侵犯到別人的隱私。一旦被窺視的人發現，那麼他就有權利要求國家透過《刑法》去處理侵犯他隱私的人，而且也會罰得更重。

不過，藍鬍子的妻子沒有經過藍鬍子的同意，就拿鑰匙去開房間，並不是《刑法》上認定的侵害隱私行為。因為房間只是一個場所，而立法者透過法律保護的是「祕密」本身，也就是說，如果藍鬍子的妻子偷偷打開房間，聽到藍鬍子在講祕密，或是偷看到房間內有人在換衣服等，才是立法者想要保護的內容。

在刑法裡有一個重要的思想叫「刑法謙抑性」，白話一點來說，《刑法》是處理嚴重社會問題的最後一道防線，因此不是每一個社會問題都需要動用到《刑法》來處理。畢竟，要切一般水果，是不需要用到是武士刀吧？因此，立法者還因應程度較輕微的犯錯行為，設定行政法規。一般來說，《刑法》的處罰稱作「刑罰」，而行政法規上的處罰則稱作「行政罰」。行政法規管制的範圍就比《刑法》還要廣，對應的處罰也不像《刑法》讓人這麼「痛」。

像這種窺看空間的行為，或許可以適用行政法規中的《社會秩序維護法》（以下簡稱《社維法》）處理的範圍。《社維法》中有規定，如果故意去看別人的臥室、浴室、廁所、更衣室，並且有可能造成別人隱私被侵害的話，就會被罰 6000 元以下的罰鍰。

原則上這些空間會被法律設定要保護，是因為人們可能會在這些房間從事比較私人、隱密的事，比如寫日記或洗澡，因此需要被加以保護。

藍鬍子的妻子有罪嗎？那倒也不一定！在這個故事裡，藍鬍子房間不提供給活人睡覺使用，只給死人睡覺用的。而「停屍間」極可能不是《社維法》所規範的用途，也不在立法者原先想像的隱私範圍內。

因此，在法律上，沒有經過別人同意就開別人的房間，可能是沒有責任的。但我們要記得，法律本來就不能處理生活中所有討人厭的行為，行政機關除了抓人民的各種違規行為，還有很多重要的職權和工作需要進行。而且，沒有法律責任不代表生活中待人處事能順利過關，如果做出多數人無法認同的行為，除了人情壓力，還有各種閒言閒語需要面對呢！

不過，那藍鬍子呢？難道他私人的「停屍間」是可以的嗎？看到這邊不要緊張，壞人終究會受到處罰，殺了七位妻子的藍鬍子必須面臨嚴重的處罰，只是我們先不討論這部分而已。

Q 難道一定要在「隱密」的地方，才可以被法律保護嗎？

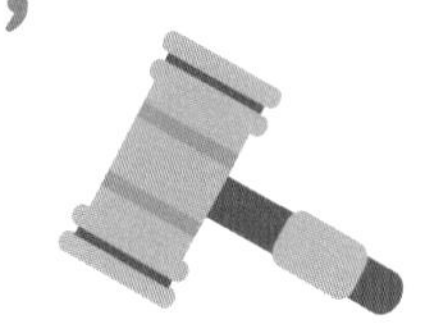

A No no！其實，我們每個人在公共場合，也可以擁有隱私權。

曾經有記者跟蹤大老闆，因為被警察認定是無理由跟蹤別人，而且經當事人勸阻仍未停止，最後被依據《社維法》處罰。當時記者回應：「我才不是無理由呢！我是在工作啊！」不過，當雙方打訴訟時，法官也不站他那邊，依舊判定他違法。

針對「新聞自由」跟「隱私權」的衝突，其實大法官曾經解釋過，人民在公共場合也有隱私權，因為若是人民在公共場合進行私人的社交活動時，卻仍隨時受到他人持續的注視、監看、監聽甚至公開揭露的話，那人民就不能自由的社交了。

不過，這就表示新聞記者不能跟拍所有人了嗎？

倒也不是，大法官認為主要得看記者想要報導內容的新聞價值。比如記者追蹤是為了揭發犯罪或重大不當行為、政治人物言行的可信任性、公眾人物影響社會風氣的言行舉止等，如果一定要用跟蹤的方式才能得知內容，那麼這樣的追蹤或是跟拍是可以的。

不過，也可以想想，如果藝人的工作就是好好表演給民眾觀賞，那麼他們私下跟誰約會或從事哪些活動，除了大家因為好奇想知道，似乎就跟大眾權益無關了。這樣的話，記者跟拍藝人、公眾人物，究竟是對或錯呢？

新聞自由

雖然在我們的《憲法》裡面，沒有明確提到「新聞自由」四個字，但經過釋字 689 號解釋，大法官認可我們有新聞自由的基本權。

所以新聞自由就是保障讓新聞記者可以有蒐集資訊以及查證的行為，來促進公廁事務討論達到監督政府的效果。因此在一些事情的判斷上，新聞記者就可以有不同的對待，例如在集會遊行的現場，假使警察最後要驅離民眾（不論是非法驅離或是合法驅離），也不可以驅離記者，因為記者需要記錄國家公權力行使的過程，來達到監督的效果。

隱私權

隱私權雖然沒有清楚寫在《憲法》中，但大法官已在數件釋憲案裡，確立了隱私權的地位。隱私權就是指人民對於自己的個人資料有決定的權利，例如他要用什麼方式、何時、何人來揭露那樣的資料（可能是血型、名字、私密照片等）。

例如在釋字 603 號解釋就提到如果要發新的身分證，是透過人民揭露「指紋」的方式，大法官會認為現行法律所規定的處理方式太粗糙，對於人民的隱私權侵害過大，因此判定違憲來保障人民的隱私權。

03 拐未成年孩子，不對吧？

花衣魔笛手的故事

很久很久以前，有一座城市飽受鼠患的困擾，街道上老鼠比市民還多。

市長，我可以解決鼠患。在我成功後，就給我一筆豐厚的酬勞吧！

沒問題，你說什麼我都答應你。

魔笛手拿起笛子吹了起來。他繞城走了一圈，城市裡所有聽到笛聲的老鼠，都情不自禁的跟著走。

老鼠跟著魔笛手
一路往前……

哈哈，這樣就輕輕鬆鬆
解決鼠患了！

市長，我來拿我的酬勞了！
你說的話我聽不懂。什麼酬勞？我可沒答應你喔！

你會後悔的，等著被全城
的人追打吧！

魔笛手又吹起笛子，這次是城裡所有的孩子，都像先前的
老鼠一樣跟著笛聲走，永遠離開了這座城市。

誘拐小孩犯了什麼罪？

魔笛手處理完這座城市棘手的災禍，市長卻翻臉不認人，不給報酬。市長的行為，可是會涉及關於勞務契約履行的問題。這部分我們就留待別的章節再來討論。但是，魔笛手也不能因為這樣，一時氣憤難耐、委屈苦悶，就拐走整個城市的孩子啊！

魔笛手把小孩拐走，可能犯下《刑法》中的「和誘罪」或「略誘罪」。

「和誘罪」或「略誘罪」所要保護的並不是受到誘拐的小孩，而是為了保護「家長對未成年人的監督權」。因此，不管當事人誘拐未成年人是基於什麼原因，也不管誘拐後對他們的態度有多好、為他們付出多少，都不會影響和誘或略誘的成立，因為這兩個罪所在乎的僅僅是家長得否監督、照顧他們的未成年子女。

而「和誘」和「略誘」之間的差別，在於「有沒有違反小孩的意願」。和誘是在「沒有違反小孩的意願」的情況下，把孩子從他父母身邊帶走；而「略誘」的部分，「略」本身的意思就有計畫、謀略，因此用像是強暴、脅迫或施詐術等不正當的方式，來誘拐未成年人，就屬於略誘，此類的惡性更重大，罪刑也較「和誘」重。

這裡有個重大的「例外情形」，就是在未成年人未滿 16 歲的情況。因為立法者認為未滿 16 歲的人，認知能力與智慧才智都未達能充分表達自己意願的程度，所以為了保護他們，只要誘拐未滿 16 歲的人，會直接成立「略誘罪」。

因此，在本篇故事中，魔笛手所使用的方式，是透過演奏笛子，讓村裡的小孩無意識隨著笛聲走，按照現代的想像就是用類似催眠的不正當方式，剝奪父母對未成年人的監督權，是屬於「略誘罪」管轄的範疇。

另外，由於要保護的權利為「家長對未成年人的監督權」，因此並不是一次的誘拐行為算一罪，而是妨害了多少家庭就論幾罪，最後數罪併罰。

《刑法》中制定和誘罪、略誘罪的假設前提，是認為未成年人在家長的照顧和教養下能快樂健康的長大；相對的，如果家庭並不能使孩子快樂成長，甚至會危害孩子，國家當然就要負起責任來介入處理。

和誘罪、略誘罪是源於過去家父長有權力去「支配」和「占有」家的概念，具有非常濃厚的「家父長制」思想。這兩罪的制定背景是在 1930 年代的中國南京，有如此的規範與罰則似乎不太意外。

但隨著時間推移，社會對於家庭的思想，已經從「家長本位思想」轉換為「子女本位思想」；也就是說在法律的角度上，已經轉向以小孩的利益為出發點去思考。這也體現在現在很多身分關係上，都會要求法院要以「未成年子女利益」為最佳依歸去判斷。

因此，如果我們對於《刑法》的解釋，還是只在乎形式意義的家長監督權，而不去管家長和未成年人間實際的利益狀態，將會導致未成年人的利益可能受到嚴重損害，使這些規定喪失當初立法的美意。

尤其是在家庭制度快速變遷的當代，伴隨家庭失和、離婚而來的親權爭奪事件層出不窮，很多時候一方都會藉由帶著小孩離開到國外、不讓對方探視等手段，進行大人間的鬥爭。因此，如果和誘罪、略誘罪一直沒有做出更細緻的區分，比如父母是不是有減輕或免除刑責的規定、保護對象的年齡區段是不是應該向下修正等，反而會造成更大的問題。

Q 孩子不是被誘拐而是自己逃家，這在法律上又會怎麼看待？

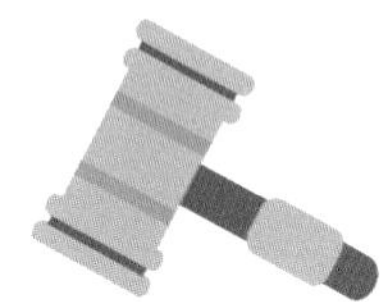

A 法律中，逃家的狀況在《少年事件處理法》裡有規範（以下簡稱《少事法》）。

《少事法》是專門在處理 12-18 歲的少年有觸犯刑罰，或有需要保護他們身心健康發展時的法律。

在過去，這個法條中羅列了許多關於「虞犯」的條款，也就是將有犯罪可能的少年圈列起來處理，其中有一款是「經常逃學或逃家」。那個時候的立法者認為會逃學、逃家常常是犯罪的前兆，再加上當父母、師長向警察機關尋求協助時，也常常因為沒有法律依據導致協尋困難，因此為了預防犯罪，有必要加以保護。

但大法官認為這樣的規定太模糊，逃家的原因有很多種，不盡然都是青少年的錯；此外，過去也認為這些人應該被送到司法矯正機構或受感化教育，然而這樣的規定已經違反他們的最佳利益。比起限制人身自由，更好的做法應該是給予適當的輔導教育或是安置在社會福利機構等，大法官指出這些規定應該盡速被檢討。

然而，2009 年大法官做出上述解釋後，立法機關卻遲遲沒有著手處理，而是一直到十年後，也就是 2019 年《少事法》才全面修正，將以「預防犯罪」為目標的「虞犯」定義，導向以「健全身心健康發展」為目標的「曝險少年」機制，刪除多數規定，只保留三款非常接近觸犯刑罰法令，或嚴重危害教育和社會福利體系，才會被歸在「虞犯」並以保護處分介入處理。如此，這樣的轉變更能幫助這些青少年，也更貼近他們的最佳利益。

所以，如今什麼樣的少年，才是《少事法》處理的範疇呢？現在只保留了最接近《刑法》處罰，或有可能嚴重傷害青少年身心健康的三種規定：「無正當理由經常攜帶危險器械」、「有施用毒品或迷幻物品之行為而尚未觸犯刑罰法律」、「有預備犯罪或犯罪未遂而為法所不罰之行為」。

雖然 2019 年的修法，並沒有預備好所有的相關機制，仍然有爭議，需要更多的協商及處理，但至少這次的修法，使《少事法》的規定更符合聯合國兒童權利公約的要求了。

監護權

監護權是為了要在兒少還無法獨力面對這個世界時，使他人提供保護教養、替兒少把關所設立的制度。不過，父母行使的是「親權」，因此在離婚時父母所爭奪的會是「親權」，而只有在父母雙方都不能行使的時候，才有可能由他人來行使「監護權」。

《兒童權利公約》

國際上為了保護兒童所專門設置的條約。

在社會上，「兒童」之所以需要被特別保護的原因在於：兒童的成長會影響國家未來整體的發展；如果兒童不能好好成長，國家社會在未來的時候，也會付出巨大的成本。再者，兒童還無法完整的為自己發聲，必須仰賴成人的力量，才能學習如何在這個世界上生存。

然而，對於兒童相關的問題，「政府」這個公權力具有非常高的影響力。所以國際間就想齊聚各個公權力，一起想出幾項針對「兒童」這個角色所應有的基本人權，希望有簽署此公約的會員國，都能保障自己國家內的兒童權利。

04 騙人買不存在的新衣，有罪嗎？

從前有個愛漂亮的國王，常要裁縫師們進宮替他做新衣服。每當國王獲得新衣時，便會穿著它出巡，讓百姓見見自己帥氣的模樣。

國王陛下，我們能用全世界最美的布料做出最特別的衣服，只不過這種布料很稀有，因此價格不斐。

而且這布料只有聰明的人才能看見呢！

太好了！錢不是問題，你們趕緊做吧！

你們來啦！我們已經完成一半了。布料是不是非常美麗呢？只有聰明的人才看得到喔！

大臣們回到皇宮後，各個都不敢說自己沒看到衣服，深怕自曝不夠聰明，只好不停稱讚衣服有多美。

騙錢的裁縫師，犯了什麼罪？

雖然看完故事會覺得大臣與國王很可笑，因為不願意承認自己不夠聰明、看不見衣服，就這樣被一個荒謬的伎倆給騙了。不過，要特別注意的是，這兩個騙錢的裁縫師所做的事情，其實是違法的喔！

如果為了獲利，欺騙別人而讓他「交出財物」，這種行為就叫做「詐欺」。但並不是只要騙人就會違反詐欺罪，《刑法》上的詐欺必須符合以下流程：

1. 首先，行為人使用了「欺騙的手段」。
2. 接著，此欺騙手段讓受騙者「相信了不實的資訊」。
3. 並且，受騙者因為「誤認」而把財物交給行為人。
4. 最後，造成受騙者或其他人「財產上的損害」。

除了要有這些流程以外，流程還必須依照 1 到 4 的順序發生，而且每個流程間都要有因果關係，才有可能會構成詐欺罪。

在這邊稍微補充一下，《刑法》中所謂的因果關係，是為了確定這個犯罪是加害者所做的。簡單來說，就是要依相關的經驗法則，並且考量和綜合當時一切所有的事實，認為說在一般的情況下，這樣的情形和條件都會發生這樣的結果，才有可能會有因果關係。例如A殺死B，總不會說因為A的媽媽生下A，所以A媽媽也有罪。通常會說A開車撞傷B，因為A闖紅燈以及超速，而在闖紅燈又超速的狀況下，撞到人的機率會大幅提高，這個就較為容易成立因果關係。

回到這個故事要討論的「詐欺罪」問題。我們先將裁縫師的行為，一一比對《刑法》上的詐欺流程：

1. 兩人早已計畫好要騙取國王的財產，因此先使用了欺騙的手段，也就是假裝成厲害的裁縫師，並對國王謊稱「衣服只有聰明人才看得見」。
2. 裁縫師讓大臣與國王相信衣服其實存在，只是自己不夠聰明所以看不見。
3. 國王以為他們就是裁縫師，也相信衣服存在只是自己看不見，而把錢交給了他們。
4. 實際上這兩個騙子從頭到尾都沒有做衣服。國王付錢卻沒有買到衣服，所以財產受到損害。

如果發生的情境不符合1到4的順序，或是缺少了其中一個階段，就不會構成詐欺罪。

舉例來說，如果去超商買餅乾共花費30元，以百元紙鈔付款後，照理說店員要找「70元」給顧客，但店員卻因算錯錢而給顧客「80元」。顧客知道店員多找錢，卻默默收下多出的10元，並不會有詐欺罪的問題。

咦？但顧客「暗槓」10元，難道不是一種欺騙嗎？

顧客悶不吭聲的收下多餘的金錢，的確屬於法律上所說的「消極的隱瞞」，也算是一種欺騙的手段，而且會讓店員誤以為沒有找錯錢，似乎符合詐欺的流程（第 1 階段及第 2 階段）。

但要特別注意的是，店員並不是「先受騙」才「多找錢給顧客」，而是純粹出於自己的粗心，不符合詐欺的流程。（第 3 階段是發生在第 1、2 階段之前，因此第 2、3 階段之間沒有因果關係）

而顧客多收下零錢的行為，反而比較會涉及「侵占罪」。然而，另一個思考是，我們也會認為超商店員有「把找零的金額點算清楚」的義務，而這也是一種合理的社會風險分配，因此通常也不會判顧客犯了侵占罪。不過，若超商考量金額數大需要追討，仍然可以透過《民法》中「不當得利」的規定，把錢要回來。

剛剛提到詐欺的其中一個階段是受騙者因為誤認而將財物「交給」行為人，那假如受騙者不是面對面將實體的財物交給欺騙者，而是把錢匯到行為人的戶頭，是不是就不算詐欺了？

錯！這樣還是會構成詐欺的喔！

隨著科技發展，詐騙集團的手法越來越多樣，詐騙不再只是要求受騙者交出實際的錢，而是要求受騙者將資金匯入某個帳戶。因此我們可以知道，詐欺罪不應該限於實體的財物損失，而應廣泛認定，只要欺騙者使用欺騙的手段得到「財產上的利益」，就算這個利益是戶頭數字的增減而非實體的財物，也會構成詐欺，否則很容易就能設法躲掉責任。

而現代常見的詐騙手法，像是「解除分期付款詐騙」或是「假冒網拍交易詐騙」，兩者都是在網路購物興起後常常發生的類型。前者通常發生在真正網購後的幾日，詐騙集團會謊稱由於業者的疏失而誤設成分期付款，要求至 ATM 操作；後者則是以低於市價的價格引誘下標，再約定要私下交易，收錢後便人間蒸發。

前者那樣的情形，詐騙者都會演得非常逼真。如果遇到要求操作 ATM 或是匯款的指示時，最重要的就是保持警覺、進行查證，不論是透過原店家或是 165 反詐騙專線，都可以有效保護自己的財產。

那麼如果真的不幸被騙呢？受害人仍然可以透過 165 反詐騙專線進行舉報，再去警察局報案，警察局會再與 165 反詐騙專線，一起和發卡銀行拯救正在被偷走的錢。

Q 牽涉到三個人的詐欺，還算不算詐欺？

A 如果今天的詐欺牽扯到三個人，其實不一定會成立法律上的詐欺喔！我們來看看是怎麼一回事。

典型的詐欺是：A 騙 B 得到了 B 的錢，但有種情形是：A 騙 B 得到了 C 的錢，因為牽涉到三個人，我們稱為「三角詐欺」。「三角詐欺」跟典型的詐欺不同，「被欺騙而交出財物的人（受騙者）」和「失去財物的人（受害者）」不是同一人，不一定會成立詐欺罪。

為什麼「三角詐欺」不一定會成立詐欺罪呢？

先來聽一個例子。A 在文具店裡向顧客 B 謊稱自己是文具店的員工，但因為他的手受傷了，想請顧客 B 幫他將收銀機裡的錢拿出來。顧客 B（受騙者）因此將 A 誤認為文具店的員工，而將收銀機裡的錢交給 A，造成文具店老闆（受害者）的財產損失。

這個案件乍看像是詐欺，但要注意此時顧客 B 對文具店收銀機的錢根本沒有處理的資格，卻擅自將文具店老闆的錢交給了 A，這樣的情形和「受騙將錢『轉讓』給 A」是不同的。大家想想，真的對錢有處分權限的是老闆，身為顧客的 B 根本沒有替老闆轉讓錢給 A 的權限啊，所以這時候 A 利用 B 犯下的不是詐欺罪，而是竊盜罪喔！

構成要件

在立法的過程中，立法者會將各種的犯罪行為一一列出來，並且規定說怎麼樣的情況底下犯罪行為成立，作為可罰的前提，這樣就叫做「構成要件」。正如我們前面所提到的「詐欺罪」，要成立詐欺罪有其嚴格的要件，必須要每個要件都成立，才可能成立犯罪喔！

不法取得財物

在詐欺罪中，「不法取得財物」就是指透過耍詐讓本來沒有要付錢的人把錢財交出來。而法律認為的耍詐除了積極編織謊言外，更包括隱匿或傳遞不實的資訊。

而「對於交易上的重要事項有告知義務卻沒有告知」，利用他人錯誤來達成交易、獲得財物，也算是「不法取得財物」的其中一種方式。典型的例子如凶宅的買賣，契約書上明明提到買賣的房屋是凶宅，賣家卻告知買家這棟房屋並非是凶宅。

《刑法》上對詐欺罪的規定嚴謹，不是騙人就犯了詐欺罪喔！

05 強迫他人結婚，有罪嗎？

拇指姑娘的故事

有一天，蟾蜍媽媽看到拇指姑娘後，
便在夜裡把她擄回家給兒子當老婆。

蟾蜍母子把拇指姑娘放在一片荷葉上，
只要她跨一步，就會掉進池塘裡。

我喜歡你，你乖乖待在
荷葉上不要亂跑。

誰來救救我啊？

強迫別人可能觸犯「強制罪」

田鼠婆婆威脅拇指姑娘必須和她的兒子結婚，否則就要吃掉她，算不算犯罪呢？

答案是：算。如果使用強暴脅迫的手段，強迫別人去「做」或「不做」某件事情，可能會構成「強制罪」。而要構成強制罪，必須符合幾個要件。

首先，必須是使用了「強暴」或者是「脅迫」的手段。

所謂「強暴」是指有形的、物理上的暴力手段，例如強拉著對方的手進入房間；然而，也不以有直接的身體接觸為限，如果為了阻止對方離開而擋車，雖然沒有直接觸碰到對方，但也算是一種「強暴」行為。

「脅迫」則是以不利作為威脅，進而使對方心生畏懼的手段，例如警告：「若不……就殺掉你的家人」、「若……就將照片公諸於世」等。

由於強暴脅迫會影響受害者的意志，若藉由此種手段迫使受害者依照行為人的意思行動，我們稱為「強制行為」。立法者認為強制行為侵害了受害者「決定是否要做某件事情」的意志自由，因此應該被禁止。

「強制行為」也有沒那麼壞的嗎？

不過，當實施強制行為是「情由可原」，也就是說這件事沒那麼「壞」，行為人實施的強制行為就沒有違法性而不應該成立強制罪。

舉例來說，為了阻止他人開車離去而擋在駕駛座的車門旁，是一種藉由強暴手段，限制他人行動自由的強制行為，符合強制罪的要件。但假如是受害者違規停車在先，欲逃避警察開單而開車離去，行為人則是為了「使警察到場舉發違規停車」，才做了「阻擋受害者離去」的強制行為，是不是就會覺得行為人沒那麼可惡了呢？此時強制行為的「手段」與「目的」之間有關聯性，沒有那麼「壞」，因此沒有違法性而不會成立強制罪。

另外，基於「輕微性原則」，若強制行為對受害者只造成輕微的影響，就不應該輕易動用國家的刑罰權去加以制裁，因此也會認為不具違法性而不成立強制罪。例如被詐騙者欲取回受騙款項而衝向詐騙集團的成員，但拉扯 5 秒後就被推開，由於對集團成員的行動自由侵擾程度輕微，不具持續性及顯著性的效果，所以沒有違法性而不成立強制罪。

故事中的田鼠婆婆雖然救了拇指姑娘，但又警告拇指姑娘：「你必須和我的兒子結婚，否則我就要吃了你！」是一種藉由言語威嚇，使拇指姑娘心生畏懼，進而影響結婚意願的脅迫手段；而且綜合整體事實來看，強制行為的手段（威脅要吃了拇指姑娘）與目的（希望拇指姑娘和兒子結婚）之間也沒有關聯性，是具有違法性的強制行為，因此成立強制罪的機率極高。

沒有威脅拇指姑娘，
應該就不會觸法了吧？

除了田鼠婆婆外，蟾蜍母子及母甲蟲對拇指姑娘做的事也都觸法了喔！

蟾蜍媽媽將拇指姑娘從老婦人家中擄走，雖然沒有要求贖金而不會成立「擄人勒贖罪」，但是蟾蜍母子故意將體型嬌小，只能靠兩腳行走的拇指姑娘放在池塘中央的荷葉上，使拇指姑娘被困在荷葉上而無法離去，已經達到「剝奪」拇指姑娘「行動自由」的程度，如此會成立「私行拘禁罪」，可以處 5 年以下有期徒刑；另外，假如大風一吹導致荷葉傾覆，拇指姑娘掉進池塘裡淹死，蟾蜍母子最高還有可能會被判處無期徒刑喔！

我們只是把拇指姑娘丟進
森林，沒有傷害他啊？

而母甲蟲雖然沒有觸犯強制罪，但所作所為仍可能觸犯其他罪名。縱然沒有直接傷害拇指姑娘，但他們將好不容易脫離險境、待在公甲蟲家中休養的拇指姑娘丟進偌大的森林裡，可以想見體型特別嬌小的拇指姑娘獨處於森林之中，很可能會遇到對她造成生命威脅的生物；即便未遭遇危險，拇指姑娘也可能會因為找不到食物而餓死在森林裡。因此，母甲蟲將「無自救能力」的拇指姑娘「遺棄」在森林裡，可能會觸犯「遺棄罪」。

Q 我被想追我的人尾隨和騷擾，該怎麼辦？

A 這時候可以報警求助，警察可以依據《跟蹤騷擾防制法》介入調查。

前面的故事中，拇指姑娘原本與老婦人一起幸福的生活，卻因外貌出眾就遭遇到各種紛擾。然而，現實生活中的大家無論性別為何，都可能遇到這樣莫名其妙的事情。

如果遇到瘋狂的追求者、恐怖情人，甚至是素不相識的陌生人，每日持續跟蹤尾隨、撥打無聲電話、送禮物騷擾的

情形，該怎麼辦呢？此時追求者並沒有實施強暴或脅迫的行為，迫使他人做任何事情，所以不會成立「強制罪」，但這些舉動無形中已經造成他人的壓力，甚至是精神上的折磨而影響到日常生活，卻又無法藉由《刑法》中的現有條文有效遏止。

此外，《家庭暴力防治法》雖於 2015 年納入「恐怖情人條款」，擴大家暴保護的範圍，但仍然無法處理跟蹤騷擾的問題；而《社會秩序維護法》對跟蹤行為有所規範，但最多只會處 3000 元罰鍰，提供的保護並不足夠。

因此，2021 年 3 月立法院開始審查《跟蹤騷擾防制法》草案，為了有效遏止跟蹤騷擾的行為，各種版本的草案皆強調「及早介入」的機制。立法院在 2021 年 11 月 19 日三讀通過這部法案，並於 2022 年 6 月 1 日開始施行，若對特定人有反覆、持續跟蹤騷擾的行為，警察機關收到舉報便可以進行調查，認定有犯罪嫌疑後會核發告誡書，兩年內再犯的話則可以向法院聲請保護令。期待藉由這部專法，可以還給受害者原本該有的平靜生活。

草案

立法院在立法之前，行政單位、立法委員都會先提出各種版本，由於不同版本的法條內容與設計雷同，所以立法委員們會進行審議、討論，在尚未被立法院三讀通過、經過總統公布之前，這些版本都只是「草案」，還不會生效。

輕微性原則

法官對於被告涉及《刑法》的行為，如果認為說雖然成立犯罪，但實在是太輕微，可以引用這個原則來認定不罰的可能性。例如A偷了B 10塊錢，真的是有涉及竊盜罪，但是10元實在太少，不需要動到國家的《刑法》來處理，這時就是輕微性原則進入的好時機。

06 被繼姐欺負，算不算家暴？

灰姑娘的故事

可憐的仙杜瑞拉每天都要早起做完所有家事，還被繼母和姐姐們使喚來使喚去。即使天寒地凍，仙杜瑞拉依舊得在戶外洗衣服……

晚上，仙杜瑞拉只能躺在充滿灰燼的爐邊睡覺，就這樣過著日復一日被欺負的日子……

有什麼法條能幫助灰姑娘嗎？

灰姑娘跟繼母及繼姐住在一起，與他們朝夕相處，無從躲開這些對她懷有惡意的行為；總是在外工作的爸爸也幫不了她，難道沒有方法可以保護灰姑娘嗎？

其實，繼母和繼姐欺負灰姑娘的行為，已經構成「家庭暴力」，而當發生「家庭暴力」的情況時，《家庭暴力防治法》可以保護灰姑娘。

不過，什麼是「家庭暴力」呢？事實上，家庭暴力中的「暴力」除了指肉體上的暴力，例如毆打身體，也包含了精神上的虐待，譬如使用言語羞辱，讓人感覺到精神上的痛苦，也算是對他人施加暴力。繼母和兩位繼姐對灰姑娘長期冷嘲熱諷、侮辱、冷漠對待，而造成灰姑娘精神上的痛苦，這樣的行為就算是一種「暴力」。

既然說是「家庭」暴力，當然就是指「家庭成員間」實施暴力的情形，所以如果是對同學實施暴力，就不是《家庭暴力防治法》要處理的問題。不過，並不代表施暴者不會被懲罰，非家庭成員間的暴力行為，還是會受到其他法律的規範喔！

再回到這篇的故事情境。有個問題是，繼母跟兩個繼姐與灰姑娘沒有血緣關係，那麼他們還算是灰姑娘的家庭成員嗎？算喔！就算沒有血緣關係，但因為灰姑娘的爸爸和繼母結婚了，因此灰姑娘與繼母在法律上，會藉由這段婚姻產生親屬關係，所以算是《家庭暴力防治法》中規範的家庭成員。

此外，《家庭暴力防治法》中所稱的家庭成員並不限於有親屬關係的家人，還包含現在或曾經住在一起的人。因此，即使灰姑娘與繼姐沒有親屬關係，但仍然算是家庭成員。另一個例子是，同居而沒有結婚的伴侶也算是家庭成員，假如一方對另一方實施暴力，就屬於家庭暴力。

遇到家暴該怎麼辦？

遇到家暴時，能先嘗試跟其他家人反應。如果開不了口，甚至是家人視而不見，則可以撥打 24 小時的「113 家暴保護專線」，或是向學校的老師、警察、醫療單位求助，他們會通報各縣市的家庭暴力暨性侵害防治中心，社工再協助處理，安排庇護安置、法律諮詢、親子教育、心理諮商等措施。

如果其他家人或檢察官、警察介入後，認為必須採取較為強硬的手段，則可以向法院遞交文件聲請「通常保護令」，禁止施暴者繼續施暴，或命令他們搬出住處，不能靠近受害者；而法院審理之後，如果認為的確有家庭暴力的情況且有必要時，就會核發通常保護令。

當事態較為緊急時，譬如受害者隨時有可能再度受到家暴，檢察官、警察機關或直轄市、縣（市）的主管機關可以向法院聲請「緊急保護令」，法院會用較快的速度審理，在 4 小時內就會核發緊急保護令，避免「通常保護令」來不及幫到受害者。

家暴會受到什麼處罰？

如果灰姑娘已經取得保護令，但繼母和繼姐不遵守保護令上的指示而繼續對灰姑娘施加暴力、不搬離現行住處，就會成立違反保護令罪，最多可能會被關 3 年及罰 10 萬元。

另外，假如繼母和繼姐對灰姑娘實施暴力行為，犯了其他法律所規定的條例，仍會受到其他法律規定的懲罰，像是《刑法》的傷害罪、使人為奴隸罪等，並不會因為適用《家庭暴力防治法》，而排除其他的法律責任喔！

Q 《家庭暴力防治法》為何在 2015 年時修法了？

A 為了要擴大保護家庭暴力的受害者，《家庭暴力防治法》在 2015 年時修了法。

這邊介紹兩個修法重點：

第一，擴大家庭暴力的定義。除了剛剛提到的身體上、精神上暴力以外，修法後如果對家庭成員實施經濟上的控

制、脅迫，也屬於一種家庭暴力，例如藉由控制生活費來制裁受害者。

第二，增加保護的對象。修法前，沒有直接受到被暴力對待的兒童與少年，通常不會被認定為家庭暴力的受害者，但看見或聽見家人間的施暴行為，對於兒少而言也可能留下難以撫平的傷痕，因此修法後將「目睹家庭暴力」的兒少也列為保護對象。另外，針對恐怖情人的問題，也將沒有同居關係、但受到親密伴侶暴力對待者列為保護對象。

家庭暴力多半是由身邊最親近的家人、伴侶實行，所以有些人會有「家務事關起門來解決就好」的想法。但不要讓自己跟其他受害人置身險境也是很重要的，向外求助也不代表放棄了與加害者之間的關係。建議大家能尋求專業的協助，對於家暴的雙方都會是很大的幫助。

保護令

看完前面的內容，可以得知保護令的大致意義。但實際上在我們國家中，保護令分成以下三種類型：

1. 通常保護令：這是最一般的狀況，由被害人、檢察官、警察機關或主管機關向法院提出聲請，法院審理完認為「有家庭暴力的情況」且「有必要」就可以核發。

2. 暫時保護令：在「通常保護令」審理終結之前，法院可以依據受害者、檢察官、警察機關或主管機關的聲請，或是自己主動核發一個「暫時保護令」，主要目的是要填補「通常保護令」聲請通過前的空窗期。

3. 緊急保護令：若受害者有遭到家庭暴力的急迫危險，檢察官、警察機關或是主管機關可以向法院聲請「緊急保護令」，法院受理後要在 4 小時之內核發。

07 這樣保護自己，是可以的嗎？

虎姑婆順利進去那戶人家後，想趁著孩子們熟睡時，吃掉他們！
寶寶乖，快快睡，睡著我就……

半夜，姐姐被奇怪的聲響吵醒。
姑婆，你在吃東西喔？我也想吃～

這是弟弟的手指頭嗎？
對啊，姑婆在吃炒豆子。你乖乖去睡覺！

咔
咔
咔
咔
咔
咔
咔
咔
咔
好可怕，原來我被騙了，這下該怎麼辦？

選擇殺虎姑婆，會是犯罪嗎？

先討論一下虎姑婆的部分。虎姑婆假情假意扮成要來照顧姐弟倆的人，讓姐弟相信並主動願意讓她進屋內，會不會是犯罪呢？

《刑法》這樣規定：「無故侵入他人住宅、建築物或附連圍繞之土地或船艦者，處一年以下有期徒刑、拘役或九千元以下罰金。」

我們把重點放在前面幾個字：「無故侵入他人住宅」。也就是說，你只要「沒有正當理由而擅自進入」就是犯罪了。例如未經他人同意跑到別人家裡，或是不理他人攔阻就直接進去，都會成罪。

但今天虎姑婆裡面的故事不是這樣。虎姑婆不是闖進去，也不是未經同意進去，他是經過姐弟同意才進去住宅的，這樣有成罪嗎？這部分可以翻一下第九章，會有更詳細的講解喔！

姐姐發現弟弟好像被吃掉了，就一直在想辦法，要怎麼樣逃離現場。

有個版本的結尾是這樣的：姐姐逃到樹上，虎姑婆追了過去叫她下來要吃掉她，姐姐只好跟虎姑婆要一鍋熱水，並要求虎姑婆把整鍋吊起給她，她好跳進去、把自己燙熟給虎姑婆吃。當虎姑婆把熱水用繩子吊到樹上時，姐姐叫虎姑婆閉上眼睛、張開嘴巴，然後姐姐把熱水淋到虎姑婆喉嚨裡，虎姑婆便因此喪命了。

我們先來看看《刑法》怎麼樣規定：「對於現在不法之侵害，而出於防衛自己或他人權利之行為，不罰。但防衛行為過當者，得減輕或免除其刑。」也就是說如果你觸犯《刑法》，但是基於「正當防衛」的話，就可不罰；即便過當，也能減輕或是免除其刑。

當今天某個人所造成權益的損害，是為了避免他人的違法行為，造成自己或其他人當下將受到權益侵害時，就可主張「正當防衛」。

那怎樣會構成「防衛過當」？如果今天有個身高 150 公分瘦弱的老人，朝一個身高 190 公分的男子揮拳，男子為了避免受傷，拿刀子砍老人，這就會成立防衛過當。因為從客觀狀況來說，身高 190 公分的男子，不需要拿刀子砍就可以阻擋攻擊行為，所以這個「拿刀砍老人」就很明顯是防衛過當。

回到虎姑婆的故事。姐姐本身是個小孩，處於極為弱勢的狀態，虎姑婆正準備把姐姐吃掉，姐姐是為了避免自己被吃掉而利用熱水將虎姑婆燙死，屬於適當且必要的反擊行為，因此應該會成立「正當防衛」。

Q 正當防衛和防衛過當，到底要怎麼分？

A 需要依不同案件的情境來做判斷。我們先來看看一個案例。

2014 年 10 月在臺北市士林區發生一個案件「勇夫案」：屋主帶著懷孕老婆回到家後，聽到屋內有聲響，屋主在浴室發現入屋竊物的男子，有武術基礎的屋主為了保護老婆，與該名男子在浴室打鬥，並囑咐妻子報警；警察到場後，發現該名男子面目慘黑，便呼叫救護車，送醫後男子不治。當時檢察官以過失致死罪起訴後，引起輿論譁然，許多人都覺得法官是恐龍，因為屋主只是要保護自己的妻子，應該算是正當防衛。但真的是這樣嗎？

根據屋主與妻子的證言是這樣的，當天他們回家後，開門時發現門縫有一個人躲在背後，屋主不斷問：「你是誰」，但張姓男子一直不回答。屋主怕張嫌衝出來會傷害到懷孕的妻子，所以主動出擊，先把門推開，發現張嫌對他揮拳攻擊，躲過之後屋主把張嫌摺倒在地。正當張嫌想要爬起來時，屋主單膝跪地在他的左側，以右手繞過他後頸部，拉住他衣領，並以左手推他左臉，張嫌倒地後一直掙扎要起身，屋主就先壓住他，並囑咐妻子報警。

屋主承認，一開始怕張嫌掙脫所以比較用力，但後來看到他有點喘不過氣，手也開始抖，臉色逐漸蒼白，所以手就有鬆開一點。法院依照法醫研究所對於張嫌遺體的解剖鑑定，張嫌在前頸中段有一條長 8 公分的橫行線狀壓痕。而張嫌因潛在冠狀動脈硬化性心臟病，原本便不太能忍受缺氧情況，所以當他戴著口罩，又經屋主推壓左臉導致摀住口鼻時，就因同時引發呼吸性休克及心臟性休克、窒息及急性心肌梗塞致死。

在這樣的事實認定下，法院的判決就是基於一個正常的成年人，應該知

道如果對方已處於被壓制的狀況，當戴著口罩又持續被推壓左臉及緊拉衣領時，很容易無法呼吸。再者，屋主也坦承自己有察覺對方似乎已經呼吸困難。於是法院認定屋主應該知道自己的行為造成張嫌死亡，因此判定防衛過當，並判決成立過失致死罪。

當然這個判決引起許多人的批評。許多人都認為歹徒跑到自己的家裡，是一件很可怕的事情，所以屋主為了保護妻子和保護自己，這樣做是情有可原的。當然法官有回應這部分，只是新聞很少提到。

法官認為，考量屋主為了保護懷孕的妻子，並且不知道張嫌是否有帶武器，一旦脫離屋主的控制，可能會讓妻子受到威脅。即便最後判為防衛過當，但在量刑上判有期徒刑 3 個月、緩刑 2 年，並且可以易科罰金，所以基本上屋主是不會被關的。

法律小幫手

易科罰金

在《刑法》第41條規定，如果你犯了某條罪，那條罪最重的刑度是5年，而你最後是被判6個月以下的徒刑或是拘役，那可以用新臺幣1000元、2000元或3000元折算一日，至於用多少錢當作一日，法官會在判決中交代換算的標準。所以，前面「勇夫案」的屋主最後是被判3個月且可以易科罰金，基本上就是代表除非他付不出錢來，不然是可以用付錢的方式，來換取被關3個月。

防衛過當

一般來說，成功的正當防衛可以使你免於犯罪。但如果當要保護的利益與防衛行為所破壞的利益重要性相差太多，就會被認為是防衛過當。舉例來說，如果為了保護自己的便當不要被小偷偷走，在抓到小偷的時候就奮力拿椅子砸小偷的頭，可能就會被評價是一個「防衛過當」的行為。

然而，考量需要防衛時，基本上應該都是非常電光火石，沒有這麼多時間可以讓當事者想有什麼替代方案，所以如果防衛行為最後被法院認定為過當，在法律上即便會被評價成犯罪行為，還是有機會可以減輕或免除刑責。

08 敲鯨魚的嘴巴，有罪嗎？

木偶奇遇記

皮諾丘只好趕緊說出實話，鼻子才恢復原狀。不過，他繼續逃學、說謊，都沒有讓老木匠發現。

皮諾丘被賣到馬戲團後，卻因表現不佳被丟入大海，還被鯨魚吃進肚子裡……

皮諾丘？真的是你嗎？

爸爸……

四處找尋皮諾丘的老木匠來到海邊，一不小心也被鯨魚吞下肚……

情有可原的行為，是可以的嗎？

故事中，老木匠和皮諾丘為了逃出鯨魚的肚子，所以敲打鯨魚的身體，好讓鯨魚感到不舒服而把他們噴出來。這樣看來，他們的行為似乎是情有可原的，但有沒有構成犯罪呢？

首先，我們知道如果做了《刑法》禁止的「壞事」，可能會成立犯罪並受到處罰，但假如是「情有可原」的行為呢？有沒有可能因為沒那麼「壞」而例外，不成立犯罪呢？

答案是：有可能喔！立法者認為，如果是在以下五種情況中做了《刑法》所禁止的行為，這件事就沒有那麼「壞」：

1. 依據法令所做的行為：例如警察將現行犯上銬是依據《刑事訴訟法》所為的逮捕，並不會因此成立妨害自由罪。

2. 業務上所做的正當行為：例如醫生切開病人的身體是為了動手術，並不會因此成立傷害罪。

3. 公務員依據上級的命令所做的職務行為，但不包含公務員明知該行為違法的情況。

4. 正當防衛行為：例如被持棍棒的流氓追趕而使用障礙物將他絆倒，並不會因此成立傷害罪。

5. 緊急避難行為。

這次要特別討論的就是「緊急避難行為」。

「緊急避難行為」是指遭遇危難和災難時，為了避免自己或他人處於危急狀態的「生命」、「身體」、「自由」、「財產」受到侵害，而將危險轉嫁給別人、去犧牲他的權益。

舉例來說，火災時受困者為了求救而打破建築物的窗戶，就算是「緊急避難行為」的範疇。平時打破他人的窗戶會成立毀損罪，但此時考量到受困者處於生命危急的狀態，是為了保護自己的生命才不得已侵害他人的財產（即建築物的窗戶），立法者認為「打破窗戶」是在急迫狀態下所做的避難行為，沒有那麼壞，所以例外、不成立犯罪。

既然是一種例外，那麼緊急避難行為自然有一套嚴謹的判斷方式，避免大家輕易主張緊急避難而任意侵害他人的權益。要主張「緊急避難行為」，必須符合以下要件：

1. 存在一個需要避難的情況

意思是只有在自己或他人的生命、身體、自由、財產正處於危急的狀態，才有可能主張緊急避難。這個情況不限於大自然的災害，還包含由人類或其他動物所引發的危難喔！

例如海上突來的暴風雨導致翻船，使所有船員的生命處於危急狀態，或是鄰居將比特犬放出來，讓狗亂跑、追人，使路人的身體處於危急狀態，都符合這個條件。

2. 避難行為必須有效且出於不得已

所謂「不得已」是指危難來臨時，除了犧牲他人的權益以外，沒有其他方法可以避難。假如當時還有其他影響較輕微的方法可以避開危難，避難者所做的避難行為就不算是「不得已」。

3. 避難行為不能太超過

雖然遭遇到緊急危難的人或許值得同情，但考量到被犧牲利益的受害者通常是無辜的，所以立法者把醜話說在前頭：「如果你的避難行為太超過，還是會成立犯罪喔，只是可以減輕或免除刑罰而已！」

因此在衡量時，通常會去比較「避難者想保護的利益」以及「他人被迫犧牲的利益」，如果「避難者想保護的利益」沒有明顯重要於「他人被迫犧牲的利益」，我們就會說避難行為太超過了！

4. 緊急避難者不具有公務或業務上的特別義務

如果今天是因為緊急避難者的職業，而讓他有特別的義務在身，就不能主張緊急避難。例如《船員法》規定船長有確保航行安全、救助旅客等義務，因此遇到船難時，船長如果置船員、旅客的生命於不顧而自行逃命，就不能主張緊急避難。

5. 有避難的意思

緊急避難者必須意識到有需要避難的緊急情況，並基於這個認知而採取了避難的行為。

故事中的老木匠和皮諾丘，使用木棒敲打鯨魚的身體。假設這個木棒不是他們的，敲打鯨魚的身體可能會導致木棒壞掉，而侵害木棒所有人的財產權，這樣會成立毀損罪嗎？

由於他們是為了保護自己免於死亡才出此策，而且當時不存在其他侵害更小且同樣有效的方法，在權衡之下也會認為兩個人的生命明顯比一根木棒還重要，所以能主張緊急避難而不成立毀損罪。

不過，如果今天這位避難者，是因為他先前做過某事，而造成後續的危難，法律上稱這種情形為「自招危難」。在這種避難者「有錯在先」的情形下，還能主張緊急避難嗎？

實務上認為，如果避難者「故意」引起危難，是企圖藉由避難的行為實行犯罪計畫，便不可以主張緊急避難。

舉例來說，為了殺害仇人，明明知道自己的煞車失靈卻不維修，聲稱是要避免撞到行人而選擇直接撞上仇人的座車，就不可以主張緊急避難，而會成立殺人罪。

然而，如果是出於「過失」引發危難的情形，則「可能」可以主張緊急避難。雖然有法官認為如果是因避難者自身的過失而引發危險，依照「一人做事一人當」的想法，不應該容許他再將危險轉嫁給其他人，因此不可以主張緊急避難而免除責任；但也有法官及學者認為，只要符合緊急避難的要件就可以主張。

Q 被開罰單後，也可以主張緊急避難嗎？

A 如果今天你被警察開了罰單後，還是可以依當時情況來主張緊急避難。

曾有這樣的案例：高雄市有位民眾騎機車與小客車發生碰撞，警方認定騎機車的民眾違規駕駛，因此開罰他 600 元

罰單，但這位民眾覺得很委屈，他向法院請求撤銷罰單，並表示當時自己被野狗攻擊，為了躲避追咬才會加速衝出路口而導致違規。

法院認為依照當時的情況，違規民眾的生命、身體的確可能因野狗的追咬而發生摔車、被咬傷而罹患狂犬病等結果。就一般人的經驗，騎車的時候如果遇到野狗追咬，加速駛離以保護自身安全是人之常情，屬於有效的避難方法，而當時也沒有其他更加適當的方法可以選擇，所以選擇加速駛離是出於「不得已」，再加上這個方法並不算太超過，因此法院依據《行政罰法》，認為這名民眾此時可以主張緊急避難而撤銷罰單。

不過，要特別釐清的是，可以主張「緊急避難」而免除的是《行政法》上的責任，並不包含「民事」上的責任。所以，雖然違規民眾不會被開罰單，但並不代表他不需賠償小客車駕駛因為碰撞所受到的損害喔！

現行犯

在實施犯罪的當下或之後馬上被發現，為現行犯。例如：甲偷乙的腳踏車，當場被乙發現，甲即為現行犯。一般來說，只有被法律賦予權力的檢察官與警察才可以抓犯人，但因為現行犯的情況很緊急，所以法律放寬一般人都可以進行逮捕。

請求撤銷罰單

假設我們今天收到交通違規罰單，例如違停或是闖紅燈等，如果你不服判決，就可按罰單上所述進行「申訴」。你可以在 30 天內到案交通裁決所等地點申訴，或用掛號郵寄、網路傳、傳真等方式到舉發機關或應到案處所，但須檢附違規通知單正本、陳述書，說明不服原因及相關事證。

但如果申訴失敗怎麼辦？可以申請開立裁決書，並且在收到後 30 日，向居住地、違規行為地或裁決機關所在地法院提起行政訴訟，請求撤銷裁罰。

09 偽裝成其他人進門，有錯嗎？

小紅帽的故事

大野狼急忙趕到小紅帽的奶奶家，還偽裝成小紅帽的聲音跟奶奶說話。

哎呀，是你呀！門沒鎖，你自己進來吧！

天哪，誰來
救救我啊！

哇哈哈哈，
我要吃掉你！

擅闖別人的家，可能構成犯罪！

大野狼偽裝成小紅帽的聲音，讓奶奶誤以為是小紅帽而允許大野狼進來家裡，算不算犯罪呢？

首先要先釐清的是，大家本來就可以自由進出自己的住宅，但如果是別人的住宅就不一定了喔！人民有私生活不受打擾干預的自由，這是因為如果有陌生人突然闖入家中，是件很驚嚇、可怕的事情。因此，立法者就在《刑法》中訂下規定，禁止大家擅自進入屬於別人的空間，這個罪叫做「侵入住宅罪」。

以下是侵入他人住宅的三種情形，一旦發生就可能被處罰：

1. 沒有正當理由，就「進入」別人的住宅、建築物、相連的土地或船艦裡。

2. 沒有正當理由，而「躲藏」在別人的住宅、建築物、相連的土地或船艦裡。

3. 雖然先經主人同意進入，但之後被要求離開，卻仍「滯留」在別人的住宅、建築物、相連的土地或船艦裡。

別人的空間包含了他平常居住的住宅（包含頂樓、樓梯間、中庭花園）、擁有管理權的建築物（例如倉庫）、相連的土地（例如住宅的庭院）及船艦，即便闖入的當下主人並不在，也算是擅自進入別人的空間喔！

而前面提到的第三個情形是指，雖然一開始獲得同意進入他人空間，但時間到了也是該走了吧！別人要你走了，你卻不走，這可是也會觸法的。

在租房的時候，因為房客擁有房屋的使用權，自然會期待一個不受打擾的生活空間，這時候房屋是屬於「房客」的空間，而不是房東的；因此，雖然房東才是房屋的所有權人，但如果已經將房屋租給別人，房東沒有正當理由就不可以進入！所以，也就是說，房東未經同意進入房客的房子中，也是有可能會觸法的。

對，就是這樣！如果「有正當理由」，就可以進入別人的空間了。

那什麼叫做「有正當理由」呢？是不是正當理由，當然不是大家各自說了算，而要交由法院判斷。

舉例來說，如果辦案時警察或檢察官基於職權進行搜查，這種職務上的行為，就算是有正當理由。

此外，由於出租的房屋屬於房客的空間，若房東沒告知房客就拿備用鑰匙進入租屋處，就會有侵入住居的問題。但如果房東是因為聞到「腐臭味」或是「燒焦味」，加上按門鈴沒有人應門，擔心房客的人身安全而擅自開門進入查看的話，就屬於有正當理由囉！

最後，就算沒有任何正當理由，但只要有經過主人的同意，進入他的空間就不會有犯罪的問題，因為既然本人都同意了，又有什麼理由禁止呢？舉例來說，如果親戚直接拍胸脯跟你保證說：「我家就是你家！你想來就來、想走就走，不要客氣。」那麼，就可以放心的去囉！

雖然大野狼進入奶奶家時，有經過奶奶的同意，似乎不會成立侵入住宅罪，不過是因為他謊稱自己是小紅帽，奶奶誤信才讓他進來。這種因欺騙而造成身分誤認的同意，沒問題嗎？

有人認為，雖然騙取他人的同意不是件好事，但是相較於以強暴脅迫的方式逼人同意，此時空間的主人仍然是出於「自願」而讓別人進門的，主人的隱私權跟居住自由並未受到侵害，這個同意還是有效，因此不會成立侵入住宅罪。

咦？這樣一來，大野狼所做的一切行為，包括吃掉小紅帽的奶奶，都不會受到任何處罰嗎？當然不是。

在雙方擬人化的情況下，大野狼從一開始籌劃陰謀到把奶奶吃掉，最後導致奶奶的死亡，絕對會成立《刑法》中的殺人罪喔！這裡只是單純討論他「進入小紅帽的奶奶家」的行為會不會成立侵入住宅罪而已，並不代表其他的行為不會成立犯罪喔！

Q 同學跟弟弟住同間房間，他邀請我進去玩，可是弟弟不在，那我能進去嗎？

A 這時候因為同學跟他的弟弟對這個房間享有同等的居住自由，加上弟弟不在房間裡，不會實際影響到弟弟的生活起居，原則上會優先保障同學的居住自由，讓他決定誰可以或誰不能進來房間。因此只要得到同學的同意，就算當時不在場的弟弟不同意，也不至於會成立侵入住宅罪。

也就是說，在多人共享一個空間的情況下，並不是一定要獲得全部的人同意才可以進入這個空間，否則對於進入者而言，會很容易就觸法了。不過還是提醒大家，兄弟姐妹共享一個房間的情況下，在讓第三人進入前，還是盡量事先取得他們的同意，這樣才是尊重彼此的作法喔！

居住自由

雖然在《憲法》裡有保障人民的居住自由，不過在歷屆大法官解釋中，因為相關的案件比較少，所以比較難知道居住自由這個權利的樣貌，目前還是比較像是人民有居住的空間時，法律要讓這個權利不被侵犯。至於是不是制度上一定要給人民居住的空間，至今大法官的解釋中，還比較沒有看到類似的論述。

正當理由

行為涉及《刑法》中的犯罪時，若確實有這樣做的「正當理由」，我們就會認為這個行為並不符合「無故」，也就是說並沒有那麼「壞」。例如本篇故事所介紹的侵入住宅罪，如果是同住的家人因為吵架把門鎖起來，而另一方拿鑰匙強制進入家裡，就不會解釋成「無故」，而會被視為有正當理由才進入家門。

10 從小偷變強盜，罪加一等？

傑克與碗豆的故事

7歲的傑克和媽媽相依為命，家裡很窮，財產只剩下一隻乳牛。
媽媽要傑克把乳牛帶去市場賣，結果傑克換了顆魔豆回來。

我這有顆神奇魔豆，跟你換你的乳牛如何？

太棒了，我喜歡這個酷東西！

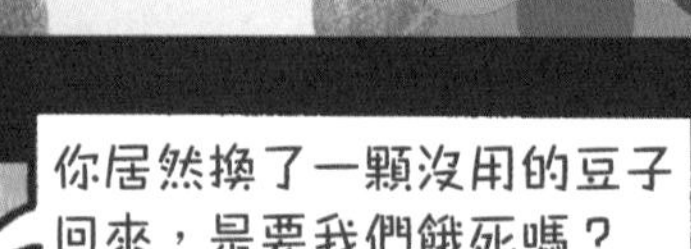

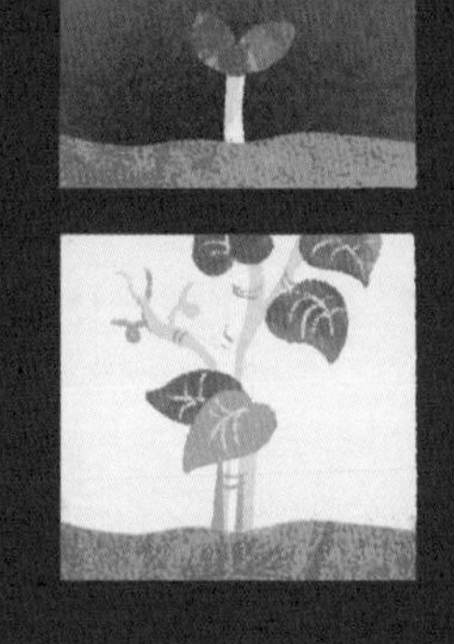

傑克爬到魔豆樹的樹梢，看到一座城堡，好奇的走了進去。

傑克把金幣帶回家，後來又一直上去偷東西。

一天，傑克再次闖入城堡，卻被城堡裡的巨人發現了。

巨人緊追傑克，傑克急忙爬下魔豆樹，然後在下方的媽媽把樹砍斷，巨人就從樹上掉下來摔死了。

從此以後，傑克和媽媽就用偷來的金銀財寶，過著幸福快樂的日子。

嗶嗶！小偷升級成強盜

大家看完傑克與魔豆的故事，會不會覺得很奇怪呢？傑克闖進巨人的城堡、偷了屬於巨人的東西，還聯合媽媽把巨人殺死，但最後卻可以跟媽媽一起過著幸福快樂的日子？如果這些事情發生在現實世界中，傑克和媽媽是必須付出代價的！他們所做的事情涉及了許多罪名，例如侵入住宅罪、竊盜罪、殺人罪，但這些我們先不討論，這次要來討論的是比較少見的「準強盜罪」。

什麼是「準強盜罪」？在講解之前，我們先來了解一般的強盜罪。「強盜罪」是指用了一些手段，達到受害者沒辦法抗拒的程度，再進一步拿到財物。例如把人逼到牆角亮出刀子，命令他交出錢包，這樣的犯案手法因為威脅到受害者的生命安全，比起竊盜、搶奪更加嚴重，所以處罰的程度也會比較高。

但「準強盜罪」則是有幾點不一樣。

第一是順序不太一樣。原先的強盜罪是先威脅、強迫別人，再取財。但是準強盜罪則是相反，是先取財（例如竊盜或是搶奪），才威脅、強迫別人。第二，準強盜罪必須是基於以下三種目的，才威脅、強迫別人：為了保護偷來或搶來的東西、為了逃脫或避免自己被逮捕、為了湮滅跟犯罪相關的證據。

例如我已經搶到別人的錢，但為了要逃或是為了要保護我搶到的東西，所以用蠻力壓制對方的身體或近距離威嚇「再靠近就開槍」，這樣就有可能會成立準強盜罪。

準強盜罪雖然乍看之下跟強盜罪很像，但兩者行為的目的、順序跟手段都不太一樣，因此才會叫做「準」強盜罪，但準強盜罪的法條最後幾個字是說「以強盜論」，也就是說被判「準強盜罪」的話，其實處罰的程度也跟「強盜」一樣喔。

我們可以想想，因為強盜罪主要處理的問題在於有使用一個「強制力」來奪取財物。反過來說，準強盜雖然順序相反，但最終也是用一個「強制力」來保護財物，兩者結構上雖然有些不同，但所要保護的重要利益基本上是相同的。

故事中，傑克偷了東西被巨人發現，為了保護偷來的東西，或是避免被

巨人追捕，而當場叫媽媽砍了魔豆樹。砍樹的行為會讓巨人從空中墜落，是一種「間接對人施加暴力」的手段，這樣的手段已經達到他人無法抗拒的程度，因此傑克似乎犯了準強盜罪。

不過，偷東西、犯下竊盜的人雖然是傑克，但砍魔豆樹的人卻是傑克媽媽，那麼這筆帳該算在誰的頭上？在《刑法》中，把打算利用彼此的行為進行犯罪，並且分擔犯罪行為的人稱為「共同正犯」。

依常理判斷，傑克媽媽早就知道傑克在偷巨人的東西，所以當她看到巨人緊追傑克，配合傑克的指示砍斷魔豆樹，就是在分擔這一連串的犯罪行為──傑克負責偷竊，傑克的媽媽則負責阻止巨人的追捕，協助傑克逃脫。這樣看下來，照理說兩個人都是準強盜罪的共同正犯囉！

不過，我們強大的犯罪高手傑克，其實只有 7 歲。《刑法》認為不滿 14 歲的孩子心智不夠成熟，還不能理解刑事處罰的意義，既然如此就不應該用《刑法》處罰他。因此，傑克的行為，不會構成上面所說的犯罪。

2019 年以前，7 歲以上到未滿 18 歲的人若犯罪，會依據《少年事件處理法》，由少年法院處理，最後可能受到法官訓誡、裁定感化教育等結果。2019 年新法實施後，12 歲以下的兒童若犯罪，不再由《少年事件處理法》處理，警方改依據《兒童及少年福利與權益保障法》通知學校及家長，有必要時再請社福機構協助處理、輔導及安置，而不會進入法院程序。

目前的實務認為，剛剛介紹的準強盜罪，是以前面所犯的「竊盜罪或搶奪罪成立」為前提，因此如果根本不成立竊盜罪及搶奪罪，就不用繼續討論後面的強暴脅迫行為。故事中的傑克因為只有 7 歲，他偷巨人東西的行為並不會成立竊盜罪，所以傑克媽媽自然也就沒有準強盜罪的問題囉！

雖然不成立準強盜罪，但不代表沒有觸犯其他罪名，傑克媽媽砍斷魔豆樹導致巨人死亡，仍然有可能成立過失致死或殺人罪，這邊只是特別點出準強盜罪的問題而已喔！

Q 為什麼準強盜罪和強盜罪的處罰一樣重？

A 有人可能會疑惑，準強盜罪比照強盜罪的懲罰，會不會太過嚴厲？畢竟他本來並不打算使用強暴脅迫手段取財，只是後來為了要避免被逮捕、保護贓物才使用「強制力」。

然而，釋字第 630 號有提到，準強盜罪所規範的強暴脅迫行為，必須達到「使人難以抗拒的程度」。既然準強盜罪和強盜罪使用的強制力，都達到「使人難以抗拒的程度」、危險程度一樣高，那麼兩者適用相同的懲罰，就不會違反「罪刑相當原則」。

不過，有個有趣的地方，就是在強盜罪中，法條的文字是用「強暴、脅迫、藥劑、催眠術或他法，至使不能抗拒」，但是準強盜罪裡的法條文字是「當場施以強暴脅迫」，兩邊文字有點不同。但是，大法官在釋字 630 號解釋中也有提到，若兩個罪刑相當，那兩個行為的不法程度應該要相同喔！

罪刑相當原則

行為人所犯的罪與所受的懲罰應該要符合比例，不可以大罪輕罰，小罪重罰。例如不能偷東西就處死刑，也不能殺人罪僅課與罰金。

正犯

先用一個反例來說。在法律上，如果不是主要犯罪者，會被稱作「共犯」，共犯又有兩種，一種叫做「教唆犯」，另一種叫做「幫助犯」。前者沒有實際犯罪，但他慫恿他人去犯罪，例如A叫B去殺人，B真的殺人。後者也沒有實際犯罪，但提供犯罪的幫忙，例如A知道B想殺人，所以A幫B買了一把槍，具有幫助犯罪的意思。

要判斷是正犯還是共犯，必須觀察行為人的主觀意思還有客觀上做出的行為。只要是以「自己犯罪的意思」而參與犯罪，或雖然是出於幫助別人犯罪的意思，但所做的是法律條文中提到的行為，就是「正犯」。而正犯可能不只一個，例如A和B一起殺人，那這兩個人就叫做「共同正犯」（不可以簡稱為共犯）。

11 壞巫婆犯了什麼罪？

糖果屋的故事

韓賽爾跟葛麗特是一對兄妹。繼母受不了這個家這麼窮，脅迫父親把兄妹丟掉。這一切，都被在房外的韓賽爾聽到了。

這一天終於來了，兄妹倆被繼母丟進森林裡。韓賽爾沿路邊撕邊丟麵包屑，作為回家的記號。可是……

沒想到麵包屑居然被烏鴉吃光了。
真好吃！

怎麼辦？該怎麼回家呢？

兄妹倆走著走著，發現了一間糖果屋。
哥哥，你看！是一間糖果屋耶，那些餅乾和糖果看起來好好吃喔！

是誰在吃我的房子？！

哥哥給我進牢去待著，妹妹給我去好好工作！

一天，巫婆想把韓賽爾煮來吃，叫葛麗特確認火爐。
火爐壞了！
怎麼可能，我瞧瞧～

不！

快逃！
燙死我了！

無數次傷害構成的凌虐罪

壞巫婆這樣對兄妹倆，究竟有沒有違反《刑法》中的「凌虐罪」？

「凌虐」是指「對於未滿 18 歲之人，施以凌虐或以他法足以妨害其身心之健全或發育者」。這個法律本身所要保護的是「人一生唯一一次的發育機會」，所以只要是給予非人道的待遇，不管是積極還是消極行為，包括時不時的拳打腳踢、生病了不帶孩子去看醫生、平時不給飯吃等，在有可能妨害到青少年健康成長的機會時，就有可能會觸法。

一般我們比較常看到的是「傷害罪」，而「凌虐罪」其實是傷害罪的一種特殊樣態。平常我們看到的傷害罪，就是要有一個傷害作為，例如我拿刀砍人，把他手砍傷。傷害罪若要成立，「砍人」和「對方受傷」，兩者必須要有「因果關係」。

但對於未成年凌虐的行為是長期的，很難去證明傷害跟結果間的因果關係，所以立法者就針對這種犯罪樣態單獨立法。甚至後來因為常發現虐童事件，所以立法院修法將凌虐罪的「加重結果」刑期加重，例如「凌虐致死」最高可能判處無期徒刑；「凌虐致重傷」也有 5 ～ 12 年的刑期要面對。

只是不讓葛麗特吃東西，這還好吧？

在法院曾經的判決中，就有案例是，爸媽明知道自己的小孩年紀很小，且有無法治好的腦部萎縮、認知發展遲緩以及自閉症等狀況，也知道無法承受成年人踢踹的力道、沒辦法承受長時間的挨餓，卻還是故意在小孩半夜自己跑到廚房吃東西時掐傷他的脖子，甚至常常半天或是一天不給他吃東西，還禁止其他親友給他食物，所以最後被判為凌虐罪。

因此，壞巫婆不給年紀還小的葛麗特吃東西，要他做牛做馬，甚至時不時的拳打腳踢，都有很大的機率造成她營養不良，或是在她內心留下難以抹滅的傷痕，使她的身心可能無法健全的發展、發育，因此成立凌虐罪的機會極高。

Q 《刑法》可以在被虐兒童發生事情前，就先介入嗎？

A 看到新聞播報受虐兒童時，相信大家會很難過。然而，《刑法》確實無法在事情發生前就先介入。

我們經常邊看社會新聞中令人髮指的悲劇，邊怒罵法律規定得不夠嚴格，甚至罵判得太輕，把一切怒火轉向法官。

不過，大家要知道，《刑法》是「事後處罰」的機制，所以沒有辦法在危險發生前或發生之際起到保護當事人的作

用。因此，關於事前或事發當下的處遇措施，則是交由行政法規及時介入，而在此的行政法規則包括《兒童及少年福利與權益保障法》（簡稱《兒少法》）、《家庭暴力防治法》及《兒童及少年保護通報與分級分類處理及調查辦法》。

依照《兒少法》的規定，任何人知道有兒童、青少年遭受身心虐待的情況時，必須通報主管機關；而主管機關則應該給予保護、安置或為其他處置，必要時得進行緊急安置。另外，被主管機關列為保護個案者，主管機關也應該要在 3 個月內提出兒童及少年家庭處遇計畫來提供具體協助，保護兒童在家庭生活是安全的。

因此，千萬不要凡事都把《刑法》派上用場，那是逼不得已的手段，事前的預防才是最重要的。

加重結果

意思是指行為人本身觸犯《刑法》之外，還造成更嚴重的結果，雖然那個結果不是他本身的意圖，但客觀上造成這樣的結局，所以在判決上就會加重處罰。例如我單純凌虐人，我沒有想要把他弄死，但因為凌虐過頭最後造成對方死亡，這個「死亡的結果」就是《刑法》要處理的加重結果，所以處罰的程度也會隨之加重。

處遇計畫

是指社工去了解每個個案案主的問題，再行判斷和評估，最後會給予案主解決措施，這一連串的動作稱為「處遇計畫」。《兒少法》第 64 條所提出的處遇計畫包括以下措施：家庭功能評估、兒童及少年安全與安置評估、親職教育、心理輔導、精神治療、戒癮治療或其他與維護兒童及少年或其他家庭正常功能有關之協助及福利服務方案等。

如果看到兒童受到虐待，可以撥打電話113來請社工介入喔！

12 可以對親兄弟見死不救嗎？

豬媽媽要三隻小豬獨立生活，在森林裡建造自己的房子。豬大哥用茅草蓋了一間舒服的房子；豬二哥則辛苦砍柴，蓋了一間木造房子！而豬小弟……

這天，大野狼聞香而來，來到了三兄弟所在的森林，準備飽餐一頓。

這茅草屋吹一口氣就倒了！
香噴噴的豬大哥，我來了～

豬大哥趕緊跑去豬二哥家避難，但房子又被大野狼吹垮了。
呼！看我的！

你們不要跑啊！
小弟救命！我們不想被做成BBQ啊！

要不要讓他們進來呢？好吧……
太好了，得救了！

房子吹不垮沒關係，爬上煙囪不就得了！
哈哈哈，中計了！
真是惡有惡報～

豬小弟不開門，會犯罪嗎？

豬大哥和豬二哥的房子紛紛被大野狼吹倒，也就只好跑去向豬小弟求救。豬小弟聽到哥哥們的苦苦哀求，雖然有遲疑一下，但最後還是讓兩位哥哥進門避難。

我們假設一下，如果故事中的豬小弟不開門讓兩位哥哥進來，這樣可以嗎？這會不會涉及《刑法》中的「遺棄罪」呢？

法律上所認定的「遺棄罪」，簡單的說，就是有一個遺棄他人的人，以及一個被遺棄的人。

而被遺棄的人，必須是「沒有自救能力的人」。如果這個人有自我生存的能力，就不會構成被遺棄的可能性。例如「嬰兒」，就是一個本質上沒有自我生存能力的人；或是發生嚴重車禍而受重傷的人，也沒有辦法自救。

但怎麼樣的行為會構成「遺棄」？每種狀態可能都不一樣，通常會根據對於被遺棄者的「保護義務」有所不同。舉例來說，路人對你而言就只是陌生人，這時候如果他在路邊被車撞，而你不理會他，成立遺棄罪的機會極低，因為你對路人沒有保護義務。

不過，當行為人根據法令或是契約負有保護義務時，所要承擔的就比較多。舉例來說，根據《民法》的規定，父母對未成年的子女負有扶養義務，開車發生車禍的肇事駕駛對於被害人負有救助義務，或是保母根據契約對看顧的孩子負有照顧義務。

所以，如果豬小弟不開門讓大哥、二哥進屋的話，雖然有「被遺棄的人」及「遺棄他人的人」兩個條件，但會不會構成遺棄罪，就要看豬小弟是不是屬於「負有保護義務的人」而定。

身為豬大哥與豬大哥的弟弟，豬小弟此時是否負有保護義務，與扶養義務的資格和順序有關。首先，就資格方面來說，《民法》所規定的扶養義務可以分成兩類：

1. **第一類是給直系血親尊親屬，比如父母、爺爺奶奶。只要他們「不能維持生活」，就構成要承擔「扶養義務」的條件；即使他們有謀生能力而不去謀生，也不會因此免除當事人的扶養義務。**
2. **另一類是給直系血親尊親屬「以外的人」用的。對於這類的人，只有在以下兩個條件都成立的時候，才會負有扶養義務：一是要「不能維持生活」，並且「沒有謀生能力」。**

在順序上，當很多人可以負扶養義務時，《民法》則有規定扶養的順序，原則上在前順位有人承擔時，就沒有後面順位的事。順序依序是：直系血親卑親屬（例如兒子、女兒、孫子女、外孫子女）→直系血親尊親屬（例如父母、爺爺奶奶）→家長→兄弟姐妹→家屬→子婦、女婿→夫妻的父母。

因此，從條文的規定來看，對於豬大哥、豬二哥而言，在豬爸、豬媽都還在的情況下，豬小弟不用負扶養義務。因為對豬小弟而言，豬大哥、豬二哥是屬於「非直系血親尊親屬」，而且也具有謀生能力，豬小弟根本就沒有保護義務。也就是說，如果豬小弟沒有開門，他是不是會變成「遺棄者」的角色還有爭議，但豬大哥、豬二哥都不是遺棄罪所謂的「被遺棄者」，因為他們具有謀生能力。他們明明能選擇用磚瓦蓋好房子，但卻寧可偷工減料；也就是說，他們是因為自己的選擇，而讓自己處於死亡邊緣的高風險狀態。因此，就算豬小弟完全置良心、親情和道義於不理，也不會被法院認定成立遺棄罪。

然而，有人提出質疑，認為在現實生活中，有時候「遠水救不了近火」。以這個情況為例，雖然豬爸、豬媽都還在世，但他們居住的地方離這片森林真的非常遙遠，還有一點求生欲的人都會覺得應該要找豬小弟協助，才能大幅提高自己的生存機率。如果這時候還要捨近求遠，反而不是立法者想看到的結果，因此不應該拘泥於扶養義務的順序，只要對方符合「被遺棄者」的要求，也就是「沒有謀生能力」和「不能維持生活」兩個條件，就有義務要救助對方。

不過實務上，目前仍認為是否成立遺棄罪，重點還是在於順序上是不是輪到那個人來負扶養的義務，也因此如果豬小弟不開門，是不需要負遺棄罪的責任。

又或者，若豬小弟不開門，豬大哥、豬二哥能不能先不管侵入他人住宅會犯罪，先衝進豬小弟家中避難嗎？在這裡，他們硬闖進小弟家，也許是可以主張「緊急避難」去阻卻成立「侵入住宅罪」。不過話又要說回來，如果當初就腳踏實地的蓋房子，根本就不會讓大野狼有機會吹倒他們的房子！

另外要注意的是，遺棄罪是「非告訴乃論」，也就是說，只要檢察機關發現可能有「遺棄」的情況發生，就會啟動偵查程序。因此，如果豬小弟不開門，而豬大哥、豬二哥想提告，就必須要想清楚，因為一旦提告，檢察官就「發現」了這個情況，之後一定會繼續調查下去，就算是豬大哥、豬二哥後來不想追究了，檢察官一樣可以起訴，法院也得要審判的喔！

長大後不養爸媽，就算是犯罪了嗎？

A 這問題依不同的情況有不同的解釋，所以答案是不一定有犯罪。

首先，爸媽必須要到「無自救能力的程度」，你才需要負起扶養義務，比如重病。但有一些例外的狀況，我們先來了解一下。

情形一：如果小時候爸爸都不照顧我，甚至還會打媽媽，我還要養他嗎？

這部分在《民法》有規定，如果小時候爸爸一直都沒有好好照顧你，甚至常常會施暴、施虐你或媽媽，是可以向法院聲請減輕扶養義務；而在情節嚴重的情況下，也有可能可以成功免除你對失格的父親或母親的扶養義務。

而只有在完全免除扶養義務時，才有可能不構成《刑法》上的遺棄罪。

情形二：如果我錢都不夠自己用了，還要養其他人嗎？

這個部分的話，原則上如果對象是父母的話，扶養義務並不能完全免除，但只要可以向法院證明你不是不想養，只是真的沒有能力負擔這麼多，就能向法院聲請要減輕扶養義務。

但如果是像兄弟姐妹這種「非直系血親尊親屬」的話，是可以免除全部的扶養義務。

總之，不能因為沒有錢就棄已經處於「無自救能力」的父母完全於不顧，否則就有觸犯遺棄罪的可能。

緊急避難

一種不得已的狀態，為了避免更嚴重的危害，只好先做一個危害比較小的犧牲。例如火災時，為了搶救人命，只好打破玻璃。在《刑法》上，若有緊急避難的狀態，可以免除刑罰。

直系血親

就是指你生下的或是生下你的，例如：你的小孩、孫子、父母、祖父母等。相對的概念是「旁系血親」，例如兄弟姐妹。

撇棄自己的兄弟姐妹或許
不會成立遺棄罪，但仍要
考量彼此之間的情誼喔！

13 最後決定不殺人還算犯罪嗎？

白雪公主的故事

氣死我了，快去把白雪公主殺掉！
遵命，皇后。

在森林裡，獵人準備射殺
白雪公主，卻看到……

公主，新皇后要我來殺你。
你快點逃，跑得越遠越好。

獵人又去獵了
野豬，取野豬
的心和舌頭來
向皇后交差。

白雪公主則逃
到森林中央的
小屋中。

最美的女人依然是
白雪公主。
膽大包天的奴才！竟然沒有奉
我的命令把白雪公主除掉……

殺到一半停手，可以減刑嗎？

皇后因為想要成為世界上最美的人，因此要求獵人去殺掉白雪公主。不過，好在獵人並沒有真的動手。但是，這樣獵人到底有沒有罪呢？

在《刑法》中，立法者把犯罪拆成四個階段：分別是陰謀、預備、未遂、既遂。

以故事中的獵人要殺白雪公主為例：一開始，獵人思索如何殺掉白雪公主的這個階段，在法律上被稱為「陰謀」；原則上只是在腦袋裡幻想的犯罪，不會構成犯罪。不過，當獵人計畫好，然後去買刀或買槍，或是進行準備工作時，在法律上認為是在為犯罪做實際的準備，這個階段被稱為「預備」；而原則上，刑法也不會處罰預備犯，除非有明文規定。

但是當獵人拿起槍在瞄準白雪公主的時候，這時候我們會認為他已經在實施殺人行為，不管最後他有沒有開槍，都會被認為是「開始犯罪」，這個階段在法律上被稱為「未遂」。然後，假設獵人開槍「打死」了白雪公主，因為發生「死亡結果」，殺人罪的每一個要件都達成了，而這個階段被稱為「既遂」。

在未遂的階段，有很多討論的空間。通常會因為許多原因，造成最後白雪公主沒死。比如獵人真的開槍，但沒射中白雪公主的要害；又或者後來有人發現獵人要殺白雪公主、趕快救白雪公主一命，所以公主沒死。但還有一種是，獵人基於良心而決定不殺，是屬於「就算我能殺，我也不要殺」的情形，這種在法律中被稱為「中止未遂」，也就是故事裡的狀況。

獵人在瞄準的時候，就已經開始實行殺人行為，但因為他覺得「殺白雪公主是不對的」而放過她，因此屬於上段最後討論的「中止未遂」的情況，可以減輕或免除他的刑責。

如果我真的發射子彈，讓白雪公主受傷了，但我事後懊悔，我還有機會減刑嗎？

假設獵人今天已經開槍，子彈打進白雪公主的心臟，但白雪公主還沒死，只要送急救都有機會救回來的話，那獵人還有後悔的機會嗎？

有的。但在這樣的情形下，獵人如果後悔，就不能只是消極的放下槍，而必須有一些積極的作為去避免白雪公主死掉，比如幫忙叫救護車；並且如果可以的話，在救護車來之前，做一些自己能力範圍所及的事，努力救白雪公主。如果白雪公主真的因為獵人的積極作為而免於一死，那獵人同樣也可以適用「中止未遂」的規定。

此外，獵人之所以要去殺害白雪公主，那是因為皇后命令他去做，所以皇后也有責任喔！

我只是嘴巴說說，又不是我去殺，這樣也有責任？

殺人的人可惡，但借刀殺人的人也是《刑法》要處罰的對象，因為他們是犯罪的根源。

在這邊，皇后可能會成立的是「教唆犯」或「間接正犯」。而這兩者的犯罪外觀非常相像，都是一個人去指使另一個人犯罪，然而兩者在《刑法》上的評價卻不同：前者只是共犯，後者卻是正犯——也就是跟自己實施犯罪沒什麼不同。如何區別兩者，法院會視「支配程度」而定。如果支配者是幾乎能完全的操控被支配者，被支配者幾乎沒有說不的可能性時，這時候支配者就會成立「間接正犯」。

而在故事裡，皇后是獵人的上司，皇后要獵人做，獵人如果想要保住工作就不可能拒絕。在這種情況下，皇后等同支配者、獵人則是被支配者，也就是說，皇后是主導整個犯罪過程的人，因此會屬於「間接正犯」。而獵人自己有判斷能力，評估後仍執行皇后的命令，只是最後良心發現而沒有殺，所以還是會成立殺人未遂罪，並可以用「中止犯」的規定減免罪刑。

依照法院實務的判斷，因為獵人已經著手犯罪行為，所以皇后也會成立殺人未遂罪，只是中止犯的規定是獵人個人減免刑罰的事由，因此皇后並不適用中止犯的規定。

Q 那除了「中止未遂」，還有其他的中止情形嗎？

A 除了前面説到的「中止未遂」，還有一種中止犯，叫作「準中止未遂」。

一般來説，中止未遂像上面説的，主觀上需要「出於己意而中止」，也就是不是因為外在的障礙而決定罷手；客觀上需要「結果不發生」，兩者兼具才可以成立中止犯，減輕或免除刑責。

但如果今天獵人叫了救護車，而白雪公主卻是因為被旁邊的路人緊急送去醫院而得救的話，白雪公主沒有死掉和獵人叫救護車的行動沒有關係，獵人就不能成為中止犯。

在這邊，立法者則認為，既然最後白雪公主也沒有死掉，獵人也真心誠意的在避免死亡結果的發生，那麼這樣的情形和「中止未遂」也沒有太大的不同，應該要獎勵獵人的「回頭是岸」。因此，雖然最後白雪公主沒有死掉，與獵人叫救護車沒有關聯，但他仍然可以適用「中止未遂」的規定，而被稱作「準中止犯」。

在現實世界中，也有類似的案例發生。A 跟 B 一直以來

都是好友關係，因為是信任的好朋友，A 就借了 3000 元給 B，想不到 B 卻拖了好幾年一直都沒還。這天，A 帶著自己其他朋友來到 B 的家裡，B 一出現，就開始辱罵 B，並開始拳打腳踢，B 為了抵擋來自 A 的攻擊，便拿起桌上的水果刀刺了 A 的脖子。但 B 砍下去之後，發現這樣不行，不但沒有再砍，也打電話叫了救護車。但 A 的友人看他這樣血流不止，就先幫他叫計程車，最後 A 是搭著先到的計程車直奔醫院。而 B 在確認 A 順利搭到計程車之後，才取消救護車。

法官認為 B 是「準中止犯」。雖然 A 能得救跟 B 一點關係也沒有，因為最後 A 沒有死亡並不是因為搭上 B 叫的救護車，而是友人叫的計程車，但 B 非常努力的在防止 A 死亡，所以法院認為這時候 B 可以成立「準中止犯」，而減輕刑責。

未遂

或許大家會疑問，為什麼未遂還是要處罰？因為某種程度上，未遂已經是有開始進行犯罪行為，所以對於社會還是有破壞的影響，甚至有時是已經實施完犯罪，但因為有些意外沒有成功。例如A要殺B，但B運氣超好被搶救回來，所以這時候我們也不會說因為A沒有真的殺死B，所以不處罰。此時的A仍是犯了「殺人未遂」，但未遂處罰有什麼不一樣嗎？

《刑法》第 271 條這樣寫道：「殺人者，處死刑、無期徒刑或十年以上有期徒刑。前項之未遂犯罰之。」所以代表未遂犯的「刑度」和既遂犯一樣，不過實際上這邊還是交給法官來裁量，按照個案的程度來判斷。

教唆殺人

一般的殺人就是「甲」殺「乙」，但是教唆殺人就是「甲」叫「乙」去殺「丙」，也就是說不是親手去殺人，而是叫別人殺人來完成自己想要殺人的行為。那教唆犯罪是不是犯罪？當然是，也就是說「甲」雖然沒有親手去殺人，但只要「乙」真的殺人完成，那甲也是觸犯《刑法》上的殺人罪。不過要稍稍注意的事，教唆本身是具有「從屬性」，也就是說如果實際犯罪行為沒有發生，原則上教唆就不會成立。

14 偷親睡美人的王子，你有罪！

睡美人的故事

從前從前，皇后生下了一名公主。
為了慶祝公主的誕生，國王和皇后邀請大家來慶賀。

INVITATION
公主誕生宴

就在大家興高采烈慶祝時，一名不滿自己沒收到邀請的壞仙子突然現身宴會。

為了阻止詛咒成真，全國上下的紡錘機都被銷毀了。

去把所有的紡錘機統統燒掉！

就這樣，公主平安長大了。

公主進到奇怪的古堡中，只見一位老婆婆在織布。
壞仙子假扮
的老婆婆
這是什麼神奇的機器？
這個是紡錘機。要不要過來看看啊？
刺！
刺！

公主碰了紡錘後，立刻昏迷不醒。國王和皇后十分傷心，不知道該怎麼辦。
我可憐的女兒，不要離開我和你爸啊！

有一天，鄰國王子騎馬，路經
城堡，看見昏睡中的公主……
哇，多麼美麗的女孩啊！

沒想到，神奇的事情發生了，
公主就這樣醒過來了！

未經同意的親吻，有可能觸法！

公主因為誤觸紡錘機而陷入沉睡，又因經過的王子親吻她而醒了過來。看起來似乎是可喜可賀的事，不過真的是這樣嗎？

一定有人認為：這種「英雄救美」的情節很理所當然，況且公主正是因為王子的親吻才甦醒過來的啊！但是細想就會發現不太對勁，為什麼故事的情節總是女性昏迷躺在床上，等待某位男性親吻來拯救她？沒錯，我們都知道公主很美麗動人，但這樣王子就可以情不自禁的親吻她嗎？「親吻」是非常親密的舉動，有沒有人問過公主願不願意呢？如果公主醒著，說不定還會對王子的親吻 say no 啊！

每個人的身體都是屬於自己的，有權利決定「要」或是「不要」和其他人進行親密的舉動，就算是家人也不可以替本人做決定，我們把這種權利稱為「性自主權」。為了保護每個人的性自主權，法律會去懲罰侵害別人性自主權的人，舉例來說，《刑法》就禁止用「違反別人意願的方式」或是「趁人無法抗拒的時候」對他進行猥褻行為。

首先說明什麼是「猥褻」？法院對「猥褻」的其中一種說法是：「除了性交以外，客觀上足以刺激性慾，與性相關，而且會引起一般人羞恥或厭惡感」的行為，例如摟腰、觸碰大腿、摸別人的屁股或胸部、用性器官接觸他人身體等都算。

接著要釐清的是，法律並不是禁止我們和他人做親密舉動，重點是有沒有「經過本人同意」；如果沒有，就可能會成立犯罪喔！在法律上，未經同意的親吻可以分成以下三種情況：

1.《刑法》中的「強制猥褻」：利用身體的力量壓制、言語威嚇（例如：「敢反抗就揍你」）、催眠術或其他違反別人意願的方式親吻。
2.《刑法》中的「乘機猥褻」：趁人感冒發燒，意識不清醒、喝醉酒或熟睡無法抗拒時偷偷親吻。
3.《性騷擾防治法》：意圖性騷擾，而趁人在短時間內來不及反應時偷親。

大家看得出來，王子親公主是哪一種情況嗎？

答案是第二種。因為當時公主是處於昏迷的狀態，沒辦法表示同意或反對，王子利用了公主「處於無法抗拒的狀態」而偷偷親吻她，屬於「乘機猥褻」。

我們來假設其他情況：

如果公主是清醒的，但王子不顧公主的意願，用蠻力將她壓制進行強吻，就算是「強制猥褻」；又如果公主是清醒的，但王子突然騎著白馬跑出來，趁公主來不及閃躲時親吻她，則違反《性騷擾防治法》的規定。

不管是哪一種，都會受到法律的懲罰！這是非常不尊重他人的行為，所以一定要避免喔！如果很喜歡對方而想要做親密舉動，一定要經過對方的同意才可以進行。

如果我跟公主結婚了，
就可以想親就親了嗎？

答案是：NO ！

每個人與生俱來的性自主權，並不會因為結了婚或是交了男女朋友而消失。也就是說，即使是具有婚姻關係或伴侶關係的另一伴，也沒有資格強迫本人做不想做的事情。

「因為你是我的誰誰誰，所以我想要有親密舉動時，你就要配合」的想法是錯誤的。這樣強迫的行為不僅不尊重對方，還可能造成感情破裂，甚至會因為侵害對方的性自主權而違法。

當然不是！無論是哪種性別，都會受到法律的保護。

以前的立法者認為，未經同意對他人做出親密舉動有害於社會風化，並且依當時社會風俗的既定印象，覺得此舉是男性對女性行使，因此法律禁止男性未經女性同意就對她進行猥褻行為。

但是，難道女性就不會未經男性同意進行猥褻行為，也不會有害於社會風化嗎？其實，這樣的思維忽略了最初要保障的是「每個人」的「性自主權」，而不是抽象的「社會風化」、「社會善良風俗」。

意識到這件事情後，有鑑於男性也享有性自主權，可能成為性犯罪的受害人而有保護的必要，於是立法者修法將保護對象從「婦女」擴大範圍變成「男女」，可以看出法律會隨著性別平等意識的興起、社會價值觀的改變而跟著修正喔！

Q 沒有碰到身體，就不會違反強制猥褻罪了吧？

A No no no ！即便沒有碰到身體，也會構成強制猥褻罪。我們來看看以下案例就會知道了。

曾有案例是一位高中社團的男老師，利用女同事及女學生的信賴，趁她們不注意時在飲料中下藥，在對方失去意識

時拍下她們的裸照並上傳至網路。

首先要說明的是，就算沒有身體上的觸碰，「拍攝裸照」的行為也被認為是一種「猥褻」行為；此外，利用下藥的方式使對方失去意識，則是一種違反對方意願的強制手段，因此會成立「強制猥褻罪」。

或許有人疑惑，如果趁他人失去意識時進行猥褻行為，為什麼不是構成「乘機猥褻罪」？目前法院認為，強制猥褻與乘機猥褻有一點不同在於，如果被害人不能抗拒的狀態不是加害人造成的，加害人只是恰好利用了這個情況進行猥褻，就屬於「乘機猥褻罪」，像是趁人熟睡而撫摸。在這個案子裡，加害人利用藥物使被害人無法抗拒，因此屬於「強制猥褻罪」的範疇。

另外，社會上普遍認為利用「藥劑」進行犯罪，比起一般情況更加可惡，所以如果使用了藥劑，就會加重刑期。這裡的「藥劑」並不限於有催情效果的藥物，只要是足以讓人無法、難以自由表達性意願，或者超過正常程度表現性慾的藥物都包含在內，例如迷幻劑、興奮劑、安眠藥、鎮定劑等，而且不管是暗自下藥，還是直接提供藥物，都會加重刑期喔！

性自主權

大法官第一次對於通姦罪是否合憲進行解釋的時候，就提到人民有「性自主權」，就是指人民有權和另一人在雙方合意的情況底下發生性關係。

而「通姦罪」禁止人民在婚姻關係中，跟配偶以外的人發生性關係，無疑就是對於性自主權的一種限制，所以後來在釋字 794 號解釋中，宣告通姦罪違憲，性自主權的詮釋似乎和過去有了完全不同的角度。

然而要提醒大家，通姦罪被廢除，並不代表與配偶以外的人發生性關係後不會受到處罰，仍有可能需要賠償配偶民事上的損害。

猥褻

在《刑法》中，有規定禁止散播「猥褻物」。《刑法》第235條規定：「散布、播送或販賣猥褻之文字、圖畫、聲音、影像或其他物品，或公然陳列，或以他法供人觀覽、聽聞者，處二年以下有期徒刑、拘役或科或併科九萬元以下罰金。」但問題就在於什麼是「猥褻」？

目前法院認為猥褻是這樣的：「指客觀上足以刺激或滿足性慾，其內容可與性器官、性行為及性文化之描繪與論述聯結，且須以引起普通一般人羞恥或厭惡感而侵害性的道德感情，有礙於社會風化者為限。」

但這樣的標準其實也有引起爭議，因為其實這個法條本身是希望青少年不要接觸到色情物品，以及過去保守時期對於色情物品的誤解，所以導致所有跟情色有關的作品，都被當做是不好的東西看待。

不過，隨著時代的改變，法院也對猥褻的概念慢慢在做修正，避免情色作品完全被污名化。

15 不准別人離開，可以嗎？

美女與野獸

小貝家裡有三個姐妹。一天，她們的老父親要進城，問女兒們有沒有想要什麼的東西。兩位姐姐一個要包包、一個要鞋子；小貝想了一下，說想要一朵玫瑰。

好了，事情辦妥，大女兒和二女兒的禮物也買好了，只差玫瑰還沒到手。

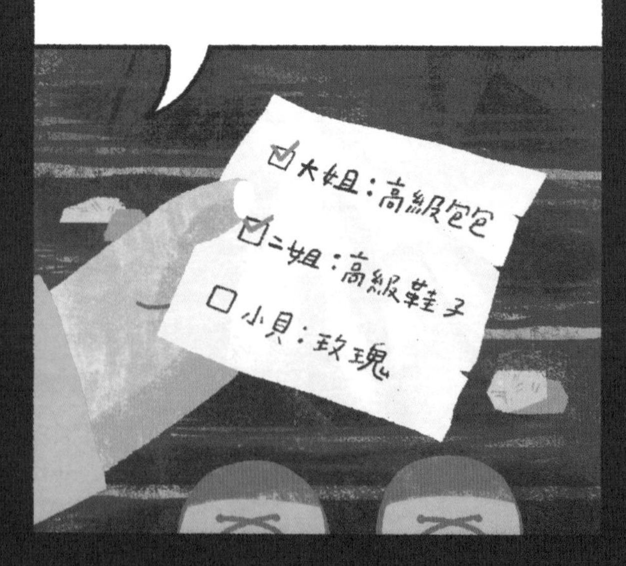

老父親在回程時，不巧碰上暴風雪，看不清前面的路而誤走進森林。就在此時，他的眼前突然出現一座城堡。

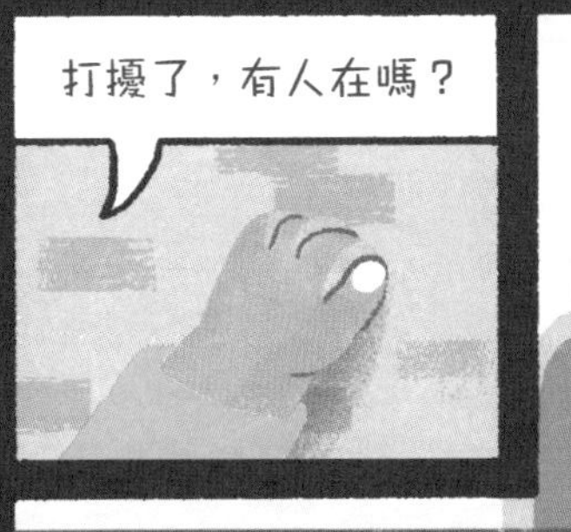

他敲了好久的門，卻沒有任何回應。他推開門，
只看到滿桌的佳餚……

隔天一早，老父親等不到城堡主人，打算告辭。一出門就看到玫瑰……

小貝見父親一直沒回來，四處尋找，
後來輾轉得知父親被關在城堡裡。

野獸是否妨害了老父親的自由？

老父親踏出城堡後，碰巧瞧見美麗的玫瑰，一心只想到要帶給小女兒禮物，沒多想這玫瑰是名花有主，不可亂摘；而野獸覺得氣憤不已，因為他讓老父親遮風避雨又吃飽喝足，但老父親卻偷了他的玫瑰，因此也不多加詢問，就把老父親關起來。這樣的做法怎麼想都不可以，不過為什麼不行呢？

《刑法》禁止隨便剝奪別人的自由，每個人都應該可以自由自在的生活，這是《憲法》給予人民的保障。因此，如果讓別人在自己的支配掌控底下不能自由的來去自如，譬如把別人關在房間內，又或者是故意開快車讓對方無法離開，都算在「妨害自由罪」的範疇。

實務上，曾有案例是，被告拿著刀子揮舞、還出言恐嚇，甚至是按住電梯外鍵，以身體阻擋電梯門不讓被害人離開電梯，法院也認為這個強暴、脅迫的程度，已經足以構成妨害自由罪。另外像是「封鎖公寓對外的大門」，即使被害人仍然可以在自家自由活動，也仍會構成妨害自由罪。之前也有案例是，被告因為跟被害人有土地糾紛，不但鎖住公寓對外的大門，還用強力膠填入鑰匙孔，導致那個鎖孔完全壞掉，包括跟被害人同棟公寓的住戶都無法出入，所以構成妨害自由罪。

另外，要剝奪一個人的自由、讓他無法自由行動，常常就會傷到對方，如此就會構成傷害罪。這麼說來，一個拘禁的動作，同時成立妨礙自由罪和傷害罪。不過，即便是這樣，兩罪也會被認為是由同一個行為所造成，為了處罰可以適當，不會處罰太多也不希望處罰太少，最終只處罰刑責比較重的罪，《刑法》上將這個概念稱為「競合」。所以回到這個故事，如果野獸在拘禁老父親時，也動用了暴力避免老父親掙脱，就會同時構成妨害自由罪與傷害罪，但最終也只會成立法定刑較重的傷害罪。

另外也曾有案例是在私行拘禁時，造成對方重傷，因而被加重量刑，更不用説如果造成對方死亡，結果會是如何了。

值得注意的是，妨害自由罪屬於「告訴乃論」，也就是説被害人要自己提出告訴，檢察官才可以展開偵查並向法院追訴這個案件。

野獸拘禁老父親，沒有疑問是典型的「私行拘禁罪」。

對於野獸而言，老父親是偷摘玫瑰的「現行犯」。因此，每個人都有權利可以「逮捕」他人，但沒有人有權利可以「拘禁」他人。所以，對於野獸來説，最正確的作法，就是要立即把老父親交給警察或檢察官，而不是自己將老父親關起來。

而就像實際案例一樣，就算野獸的宮殿再豪華、再寬敞，對被害人來説也很舒服，但由於妨害自由罪在乎的就是一個人是否享有「自由移動」的權利，因此把渴望回家的老父親限制在城堡內，就會構成私行拘禁罪。

那貝兒呢？貝兒願意用自己去交換被野獸拘禁的父親，這樣有構成「以其他方式被剝奪行動自由」嗎？

這個部分有討論的空間。由於私行拘禁罪，最重要的就是「是不是違反被害人的意願」，也因此被害人如果是自願的，就不會成立犯罪。

只是，貝兒在這裡的「自願」，真的是自願嗎？實務上，法院做過類似的判決，認為「如果一般具有正常智識的人，都不可能同意其人身自由受剝奪或限制。而被害人是基於某種因素，迫於無奈才忍受自己的行動自由遭受剝奪或限制，這時候即使被害人表示同意，加害者也不能說自己的行為有獲得被害人的同意。」

由於貝兒是為了拯救自己的父親，才決定自願被野獸拘禁。一般人如果沒有特別原因，應該不會願意被野獸關起來。所以，貝兒的自願不是真的自願，因此野獸若拘禁貝兒，還是會觸犯私行拘禁罪。

在法治充足的現代，遇到這種事，最正確的方式是尋求公權力協助。前面提到，妨害自由罪屬「告訴乃論」，也就是說，需要有告訴權的人來提出告訴。而一般而言，有告訴權的人就是被害人。這故事的被害人是老父親，而貝兒所能做的就是「告發」；提出「告發」後，檢察官就可以開始偵查，來協助老父親脫困。最後，還是必須要由老父親向檢察官提起告訴，檢察官才能正式向法院起訴。

Q 有誰可以光明正大的拘禁人而不會犯法嗎？

A 國家可以。一般情況中，我們會認為人民放棄平常的私刑正義，將這個權力交給國家；相對的，國家就有義務保護人民可以安全、沒有恐懼的生活。因此，一些國家判定暫時需要再教育、不適合在社會上繼續跟其他人相處的人，就會被送進國家設立的「監獄」裡，為的是要維持社會安全。監獄也有犯罪預防的效果，讓一般人知道做壞事是會被關起來的。

既然認為國家有權拘禁人，那重要的就是對於「程序」的規範。因此，除了現行犯之外，其他人在一般情況下，只有司法機關或警察機關才可以逮捕拘禁；也只有在經過「法院」的審判後，才可以有相應的處罰。即使是司法機關或警察機關所做的逮捕拘禁，也需要告知本人和他所指定的親友原因，並且要在 24 小時內交給法院審問，由法院做出羈押、限制出境等確保被告會配合訴訟程序進行的決定。而這樣的對象，刑事被告和非刑事被告都適用。這是為了避免國家濫用人民所賦予的公權力，反而使人民活在更恐懼的生活裡。

競合

《刑法》上在討論完一個人所犯的罪行後，會去衡量看看這些被評價為犯罪的行為，究竟應該如何論罪和處罰。如果罪刑都成立的話，數罪會不會有處罰過度的可能，因而違反「罪刑相當原則」。舉例來說，如果我在路上開車不小心撞傷另一正在行駛的車，這時候會成立把人撞傷的「傷害罪」跟把車子撞毀的「毀損罪」，因為對《刑法》來說傷害身體會比傷害財產嚴重，這時候就只會成立法定刑比較重的「傷害罪」。如此，最終僅處罰罪刑較重的罪，這樣的概念叫做「競合」。

不過，如果是一個行為同時是犯罪，又違反行政法規，可以同時處罰嗎？答案也是：不可以。

「刑罰」跟「行政罰」之間，最典型的例子就是「酒駕而收到的交通罰單」。酒駕這件事，同時受到《道路交通管理處罰條例》和《刑法》裡的「危險駕駛罪」管制。這時候，兩者都是處罰，因此也會有「一行為不兩罰」的問題存在。

實務上的作法，會先去「地檢署」繳《刑法》所處罰的罰金，再看是否有差額，如果行政罰的錢比刑罰多，那就還需要去各縣市的「監理所」補差額。但如果今天涉及到的是刑事和民事賠償的話，因為民事賠償是在填補被害人的損失，並非處罰，因此並不會有一事不二罰的問題。

羈押

羈押跟有罪不一樣，羈押並不是處罰。

羈押是針對那些「犯罪嫌疑重大」的人，在法官進行審判之前，法官覺得他有可能會做出影響偵查或是訴訟程序的事情，比如：逃亡或是湮滅證據等的行為，就會裁定羈押這個人。

如果今天裁定羈押這個人，事後他也真的被判罪必須服刑，也會將羈押時被關的天數還給他。譬如法院判決有罪需要服刑，羈押的天數也可以折抵刑期的天數；而如果法院判決無罪，那麼他也可以獲得一筆補償。

16 我 10 歲能工作賺錢嗎？

唉，火柴一根都沒賣出
去，但我好冷又好餓。

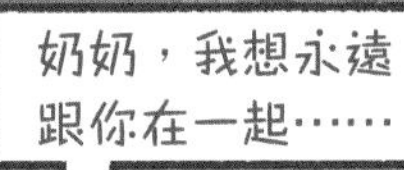

賣火柴的女孩是童工嗎？

年僅 10 歲的小女孩竟然在寒冬中賣火柴而凍死了。為了不讓憾事重複上演，關於她的這個事件，我們一定要好好釐清其中的癥結點。

首先要釐清的是，並不是「在工作的兒童」就叫做「童工」。法律上的童工有明確的範圍，《勞動基準法》規定，童工是指「15 歲以上但未滿 16 歲」受僱從事工作者，所以每個人的人生中，只有在那一年才會被稱為童工；而如果是未滿 15 歲或者滿 16 歲的工作者，就不算是童工囉！這個範圍其實意外的小呢。

考量到相對於 18 歲以上的成年人，未成年人的生理發育、心智成熟程度還有不足的地方，但未成年人仍有工作需求，於是立法者便在《勞動基準法》中立法保障未成年人工作時的權利，將受僱從事工作的未成年人分成以下三個年齡區間。每個區間適用不同的規範，而不是一概適用成年人工作的規定。

1. 未滿 15 歲者

2. 15 歲以上未滿 16 歲者（即童工）

3. 16 歲以上未滿 18 歲者

不過，為什麼立法者會額外保障未成年者的工作權利呢？這得從立法者認定未成年人應盡的義務說起。立法者認為未成年人要先完成「國民義務教育」。由於目前的國民義務教育為國小 6 年加上國中 3 年，也就是說要未成年人至少上完 9 年國民義務教育，讀完書才能開始工作。再從這裡繼續推論，國中三年級畢業大約是 15 歲左右，所以法定規範開始工作的最低年齡就是 15 歲。

因此，雇主不能僱用未滿 15 歲者來工作，除非有以下任一種情形：

1. 未滿 15 歲者已經國中畢業

2. 主管機關評估後，認為工作對未滿 15 歲者的身體健康或心理發展不會產生不良影響

第二種例外在程序上比較麻煩，雇主必須事先向縣市政府申請許可，提交各種文件，例如申請書、雇主身分證明、學校同意書等。如果未經政府許可就擅自僱用 15 歲以下者，雇主最高會被處罰 30 萬元喔！又因為有許多童星未滿 15 歲就開始在演藝圈工作，為了避免童星超時工作，2013 年更修法規定未滿 15 歲者若工作，應該要比照對童工的保護，例如一週不能工作超過 40 個小時等。

另外要釐清的是，雖然雇主原則上不能僱用未滿 15 歲者，但法律認為雇主可以僱用 15 歲以上未滿 16 歲的童工，因為這年齡已經履行了國民義務教育，就沒有工作與教育衝突的顧慮了。然而為了保護未成年的童工，雇主會受到諸多限制，舉例來說，童工每日工作不能超過 8 小時，不可以截長補短（例如週一工作 10 小時、週二工作 6 小時，會違反規定），每週則不能超過 40 小時。此外，考量到生理發育的問題，也禁止雇主讓童工在晚上 8 點到早上 6 點間工作。

立法者還禁止未成年人從事具「危險性」或「有害性」的工作，而且只要雇主僱用未成年人，就要取得法定代理人的同意書，以確保未成年人的法定代理人（通常是父母親）會替他把關，避免未成年人搞不清楚狀況而從事對自己不利的工作。

無論是「勞工」還是「童工」，都是指「受僱」從事工作者，也就是用勞動力跟雇主換取報酬，雙方之間有對價關係。因此，若不是受他人僱用，而是自己當老闆或幫家裡做生意，就不屬於《勞動基準法》所管的勞工。

賣火柴的小女孩與繼父之間根本沒有「女孩提供勞動力，繼父給予報酬」的約定或意思，反而比較像是在幫忙家裡做生意、貼補家用，所以綜合來看極可能不算是「受僱」從事工作者，而不受《勞動基準法》保護。另外，就算屬於《勞動基準法》中的勞工，但賣火柴的小女孩只有 10 歲，從年齡來看也不會是「15 歲以上未滿 16 歲」的童工。

也就是說，
我的所作所爲都合法囉？

小女孩不屬於受他人僱用的勞工，所以無法受到《勞動基準法》的保護。雖然如此，不代表繼父毆打女孩、讓女孩挨餓受凍及慣性使喚女孩在寒冷夜晚出去賣火柴的行為是合法的。這些行為都有可能會違反《刑法》、《家庭暴力防治法》或《兒童及少年福利與權益保障法》的相關條文喔！

Q 如果賣火柴的小女孩是被繼父派出去工作，這時候雇主能給少一點薪水嗎？

A 如果這情況發生在臺灣的話，雇主依法至少得給付小女孩「基本工資」。

我們先來看看近代一些跨國企業的案例。這些跨國企業時常會將工廠設在人均薪資或是法規比較不完全的地區，以降低成本。比如之前就有在非洲象牙海岸的兒童，指控巧克力大廠雇用兒童工作，卻未給付原本說好的薪水。這些孩童

在本該快樂玩耍、勤奮學習的年紀，卻受困在艱困的環境下工作，最後連應得的薪水都拿不到。

那麼，我國作為一個積極落實保障兒童權利的國家，又是如何保障童工的呢？

1928 年，國際勞工組織通過了《釐定最低工資機構公約》，兩年後中華民國政府批准了這個公約。參考公約的意旨，立法者認為要給勞工多少工資，原則上由雇主和勞工雙方自由協議，但考量到勞工的談判地位較為弱勢，政府需要適當介入，因此立法規定雙方協議出的金額不可以低於「基本工資」，以維持勞工的基本生活水準。所謂的「基本工資」，是由勞動部設立的「基本工資審議委員會」，依據社會上勞動情勢與經濟發展情況訂定，再經由行政院核定。

但值得注意的是，在 2015 年以前，童工的基本工資只有一般勞工的七成。這是因為立法當時主要適用的產業為製造業，相對於成年人，童工的體力較弱而提供的勞務價值較少，所以容許童工基本工資可以低於一般勞工的基本工資。但後來考量到隨著經濟發展，各式各樣的產業都需要人才，也並非每一種產業都是以勞工的體力多寡決定貢獻的程度，因此童工提供的勞務價值不一定比成年人低，此時只提供童工低於一般勞工的基本工資並不合理，所以 2015 年後就修法改掉了！換句話說，現在的童工也會適用「基本工資」的規定。

《勞動基準法》

就是規範國家勞動權利的一部法律。

理論上勞工的權益應該是要由勞方和資方一起談出來，但由於資方的力量過大，使得勞方難以談出公平的條件，所以此時國家介入，制定出一個規範，來避免勞方被過度剝削。

國家在勞方、資方之間，一方面不要過度干涉自由市場的條件，但另一方面保有最佳的底線，在兩者間試著取得一個平衡。

國民義務教育與十二年國民基本教育

我國政府在民國 103 年的時候，將國民教育從 9 年延伸到 12 年，然而卻是根據不同法規在辦理：前 9 年是原本的國民義務教育，是按照《國民教育法》及《強迫入學條例》來要求 6 至 15 歲適齡的兒童受教育；而 15 歲的青少年，則依《高級中等教育法》的規定，採自願非強迫入學，不再是義務，是青少年單純的權利，而為我國政府鼓勵國人繼續升學的政策。

如果你未滿 15 歲就想
工作，就要留意這章介
紹的法律知識喔！

17 國家可以把國民趕出去嗎？

西遊記的故事

再來是沙悟淨，在天國擔任捲簾大將，
相當於御前侍衛的角色。但他卻在某個
夜晚裡，打破了王母娘娘的琉璃盞。
這下小命要不保了！

來人啊！把他們三人
統統貶到人間去受罰！
玉皇大帝
他們三人從此踏上陪玄奘法師
到西天取經的任務……

國家能不讓臺灣人住在臺灣？

玉皇大帝把孫悟空、豬八戒、沙悟淨趕出天庭，並禁止他們回去。在現實生活中，國家也可以將自己人民的趕出國家嗎？

答案是不行的。

沒有法律規定政府可以把臺灣人趕出臺灣，除非臺灣人自己基於逃亡、經濟因素或是想移民而要離開臺灣，否則國家是不能因為討厭這個人就把他趕出去。

但曾經，國家不讓臺灣人回臺灣。

過去剛解嚴時，政府認為雖然不是處於動員戡亂時期或戒嚴時期，但為了維護國家安全，仍讓《國家安全法》繼續存在著。依據當時《國家安全法》的規定，人民如果要入境或出境，應該向國家申請許可，並且要國家點頭，你才可以出、入境，如果沒有經過國家允許就出、入境，最重是會被判 3 年以下有期徒刑。

而臺灣曾有「黑名單」，出現在黑名單上的多半是「反政府人士」，警政署透過黑名單制度的建立，拒絕讓這些人入境臺灣，例如黃文雄。

黃文雄是 1970 年轟動國際的「424 刺蔣案」主角，也是中華民國政府海外黑名單解禁的最後一人。什麼是「424 刺蔣案」？當年臺灣獨立建國聯盟剛宣布成立，在得知時任行政院副院長的蔣經國即將赴美訪問後，黃文雄夥同其妹夫鄭自才、賴文雄及黃晴美等臺獨聯盟盟員決定刺殺蔣經國。然而，黃文雄自認是四人裡面唯一未婚，較無家庭牽掛，自願肩負起重大的刺殺任務，但最後行動失敗而遭到逮捕。

後來，黃文雄交保後流亡海外，經過 26 年後偷渡回臺，並且公開現身發表聲明，挑明想要挑戰當時不合理的《國家安全法》；同時間，他也被國家起訴。

後來進到法院時，法官也覺得《國家安全法》不合理，主張出入境如果都要經過國家的「許可」，不就代表否定國民返國的權利？因此暫停審判，聲請大法官解釋。而大法官也認定這樣的制度違憲，因為人民是構成國家的要素之一，因此如果是在臺灣設有住所且有戶籍的國民，就應該可以隨時入境臺灣，國家沒有任何理由拒絕他們進入。

所以，雖然故事中的玉皇大帝可以把孫悟空、豬八戒跟沙悟淨趕出天庭，但回到現實生活中，國家是不可以隨便將人民驅逐出境的。

若將對象換成是外國人，當他們有護照、簽證失效，或是其他不能在我國停留的理由，政府可以要求他們離開臺灣；而如果他們不離開，移民署就有義務要將他們「強制驅逐」出國。

過去，當移民署要將外國人強制驅逐出國前，為了怕不知他們身在何處、怕他們逃走，所以會把他們先「暫予收容」。「暫予收容」就是把他們暫時關起來，但沒有給他們為自己辯駁的機會，後來大法官認為這樣是不對的。因為收容畢竟不是處罰，而且都還沒確定是不是真的要強制驅逐；再者無論是什麼理由，把一個人關起來就是限制了他們的人身自由。應該要讓這些外國人可以向法院請求裁定，讓他們有辯駁的機會，來保障他們的權利。

所以，「暫予收容」還是可以做，依照現行的《入出國及移民法》的規定，「暫時收容」最長只能 15 天，而如果被收容人對「暫時收容」有意見時，移民署必須看是否要撤銷或廢止原本的「暫予收容處分」；如果移民署認為還是有收容的必要，就要在 24 小時內將案件送交法官，讓法官決定要不要繼續收容這個外國人。

Q 隨著疫情而來的邊境管制，合法嗎？

A 2019 年因為新冠肺炎的來襲，幾乎很多國家都有實施邊境管制，只是程度上的不同。

而臺灣在不同階段也有啟動不同的防疫專案。以 2020 年啟動的秋冬防疫專案而言，要求所有入境的旅客，不分本國人、外國人，都必須持有 COVID-19 核酸檢驗陰性報告，才可以入境臺灣。

但是，根據《出入國及移民法》的規定，只要是住在臺灣並且在臺灣設有戶籍的人，都可以自由出入國，不須申請許可。即使是因為疫情對於邊境需要管控，也應該按照《傳染病防治法》的規定行使職權；而《傳染病防治法》所規定的手段，僅包括詳實申報、要求提供文件、居家檢疫、集中檢疫、隔離治療或其他必要措施。

然而，不准「未持有陰性報告」的本國人回國，是一項很嚴厲的措施。政府沒有清楚告訴民眾「陰性報告」的要求是依據什麼發布的，雖然宣稱有《嚴重特殊傳染性肺炎防治及紓困振興特別條例》第 7 條作為依據，但有人認為那樣的

條文授權過於簡略，容易導致政府為了防疫，而犧牲人權的可能性。

不能否認，為了保障人民的生活安全，政府在防疫上盡了最大的努力，但仍然有許多地方是值得再檢討而能做得更好的地方。

黑名單

過去在戒嚴時期，政府將主張臺灣獨立或共產主義的人，都以《刑法》第 100 條叛亂罪或《懲治叛亂條例》處理；在當時，甚至只要發表言論就可能被當成叛亂犯。因此，這些被當成叛亂犯的人，有些選擇流亡海外，更有些是在海外求學、工作時被情報機關揪出來列為「黑名單」。

《國家安全法》

《國家安全法》是為了確保國家安全，維護社會安定所制定。前面案例的背景是即使在解嚴後，當時的《國家安全法》仍規定出入境需要得到政府許可，這也導致許多異議分子一直流浪於海外，沒辦法回到故鄉，所以去向大法官聲請釋憲。

424 刺蔣案

在 1970 年，當時的行政院副院長是蔣經國，明顯會成為時任總統蔣中正的接班人，部分臺獨人士見臺灣民主化無望，決定要來一個比較激烈的行動。臺獨聯盟黃文雄、鄭自財、黃晴美、賴文雄決定在蔣經國出訪美國時，於紐約市廣場飯店門口，由黃文雄來進行刺殺，但最後刺殺失敗。有學者認為這樣的刺殺行動，對於蔣經國日後執政產生了極大的影響，包括舉用臺灣人，進行部分的本土化等。

18 我可以不保衛國家嗎？

花木蘭的故事

國家要打仗了，每戶的男丁都被徵召，花木蘭的老父親當然也收到了徵兵令。

父親上場就是去送死，
我必須阻止這件事！

木蘭跑遍了家裡附近的市集，買齊當兵需要的東西。

她告別了父母，女扮男裝在軍隊裡和其他兄弟一起勤奮的練兵。

打了無數次勝仗的木蘭，
最後帶領軍隊凱旋而歸。
兄弟們，一起衝鋒陷陣吧！
愛卿辛苦了，說說想要什麼獎賞。
懇請皇上賜臣返鄉
孝敬父老鄉親。
喔溫暖的家，我終於回來了！
誰說女孩不能當兵呢？
木蘭，你居然是
女兒身！

誰不能當兵？誰不用當兵？

在古代，女生是不能當兵的。不過時至今日，目前的法律狀態下，木蘭是可以當兵的，只是差別在於男生是有服兵役的「義務」，而女生沒有，但女生可以去當「志願役」。

不過，在什麼樣的情況底下，男生是不用當兵的？最常看到的例子是身體狀況或家庭因素可以免役，例如過胖等。直觀上，這些狀況能立即讓人理解，但還有一種情況也可以免役，是跟宗教有關係。

1987 年，有一個少年叫阿賢，他因為個人的宗教信仰*，反對所有的軍事活動而拒絕當兵，然後就被依照《陸海空軍刑法》和《妨害兵役治罪條例》抓去關。

根據當時的《兵役法》以及《兵役施行法》的規定，曾經被判 7 年以上有期徒刑，並且「實際執行期間」滿 4 年者，就可以不用服兵役。但這個有問題，因為究竟「滿 4 年」是可以「累積」還是要「連續」，法規並沒有明確規定，而當時國防部是傾向要連續執行 4 年以上才算。因此，當時很多人都會要求法官一定要判 7 年以上，否則後來可能會因為總統減刑，或在獄中表現良好而在過年前假釋，導致沒有坐牢連續 4 年以上，也就沒達到「禁役」的標準，就被要求須重新當兵，然後再抗命、再坐牢。

而阿賢就是因為獲得假釋和減刑，只服了 3 年 9 個月的刑，因此出獄後還是需要當兵，然後進入無限的輪迴之中。在他的人生中，彷彿只剩下入獄、出獄這件事。後來，他透過一位記者認識了一位律師，在律師的協助下，向大法官聲請釋憲。

他們主張，教派「耶和華見證人」的信徒拒絕當兵，和一般的抗命罪並不同，強迫這個教派的人民從事軍事訓練，就是侵犯人民的「宗教自由」，並舉例在《美國軍事義務兵役法》就有規定，基於宗教的信仰而反對參與任何形式的戰爭，且其反對是真誠的，就可以免服兵役。並且他們的人生因為制度的關係，必須不斷進到服兵役、抗命、坐牢這樣的循環，會牴觸「一事不二罰」的精神。

可惜的是，大法官並不認為兵役制度侵害了宗教自由。大法官說，法律沒有辦法限制人民內心怎麼思考，所以對於人民在「宗教自由」上的內在信仰，例如要信哪一種宗教，法律不應該有任何限制。但是如果是宗教的「外在行為」，例如宗教的儀式、活動或空間的設置地點，因為會對於其他人有較大的影響，所以法律可以有適當的限制。

而「服兵役」這件事，是為了要保衛國家安全而設置在《憲法》裡面的義務，不是故意要打壓宗教，所以沒有影響人民的內在信仰，只是限制外在的行為。所以大法官認定，目前法律要求達到徵兵年齡的男性都要從事「軍事訓練」的服役義務，是毫無問題的。

因為這樣的解釋，導致那些耶和華見證人的信徒得繼續坐牢，好在後來在 2001 年 12 月 10 日，當時的總統陳水扁特赦他們，才讓 13 位正在假釋及 6 位服刑中的耶和華見證人信徒，從此真正脫離牢獄的苦海。

所以基於宗教，也可以成爲替代役囉？

不可否認，一般的軍人是需要拿起槍來打仗的，但軍隊內也有些行政職等並不需要拿槍操練。也就是說，其實有方法能讓「反對軍事活動」的耶和華見證人信徒完成兵役。

雖然大法官認為沒有違憲，立委們還是決定要修正《兵役法》和《兵役施行法》，讓和阿賢一樣情況的人，不用一生都浪費在進出監獄上，同時也將「基於宗教」作為一個原因，納入討論已久的《替代役施行條例》。因此，後來有所謂的「替代役」制度，若因宗教而沒辦法從事軍事訓練，就有機會可以成為替代役男，就是用另一種方式履行對國家的義務，好讓權利和義務之間取得一個平衡。所以，在現行制度下，若要求服替代役的役男們去成功嶺服役，受訓期間是完全不會碰到任何軍事演練，例如不會拿槍等。

＊ 阿賢是「耶和華見證人」的信徒，這個教派是反對「戰事」，所以拒絕任何的軍事訓練。類似的案例不只發生在臺灣，在世界各國都可以看到這個教派相關的例子，詳細的細節大家可以上網查詢。

Q 現在女生當兵是權利不是義務，合理嗎？

A 這問題有很大的討論空間，有不同層面能做探討。先來看以下的分析，再來說一說合不合理吧！

網路上的新聞只要牽扯到性別議題，下方留言區登場率超高的必定是討論「兵役」問題。許多留言都指出「女生為什麼可以不用當兵」，還舉例像是與鄰國處於緊張狀態並常常發生衝突的以色列，也是實施全民皆兵制度，顯示這個議題有討論的價值，並非單純只是一種攻擊而已。

在 1999 年的釋字 490 號中，大法官也有回應男女平等的問題。大法官認為目前制度讓女生不用當兵，是因為性別所產生的社會功能角色不同而設計，所以沒有違反平等原則。

而在現今逐漸重視性別平權的年代，確實有許多的聲音要求女性必須當兵，畢竟保衛國家應該是不分性別。然而，國防部則認為現在志願役已有很多女性加入，加上考量國防的現實需求，目前沒有徵集女性服兵役的必要。

我們可以思考一下，既然揀選當兵人選，主要還是考慮體格是否優良，在這樣的前提下，對於用性別作為揀選的第一道門檻，是滿令人質疑。

而以臺灣現處的地理位置與歷史角色，迫使我們不得不預備一定的兵力去保衛國家。但有人認為，既然國軍都已經有「替代役制度」，也朝全面「募兵制」的方向改革，表示國家基本上也認同兵源是充足的，因此究竟我們要的是「女性也要當兵」還是「廢除徵兵制」，或是有其先後順序？值得大家一起來思考、討論。

《兵役法》

每個男生滿18歲的隔年1月1號，到滿36歲的12月31日期間，除非有免役事由，不然都是《兵役法》所規定要服役的對象。《兵役法》所規定的兵役，有「軍官役、士官役、士兵役、替代役」。其中替代役雖然不具有軍人的身分，但仍是《兵役法》下的「兵」。

大法官解釋

目前在我國總共有15個大法官，2022年以前，若有聲請者釋憲且由大法官受理，大法官就會針對「法規範」（代表所有抽象的法條，例如憲法、法律、命令等）來進行解釋，宣告該法規範是違憲還是合憲的。大法官解釋的效力，會拘束全國人民以及各級機關。例如釋字748號解釋，大法官宣告同性婚姻合法化（無論是修《民法》還是另闢專法），效力已定，除非大法官自己推翻。2022年1月4日以後，則開始實施憲法法庭的新制度，允許大法官受理並審查個案判決是違憲還是合憲。

19 不可以亂放水，知道嗎？

白蛇傳的故事

很久很久以前，有個名為許仙的書生，某日遇到一個擁有變成人類技能的白蛇精，並陷入熱戀。

許仙甚至動了想跟她結婚的念頭！但他卻不知道她的祕密……

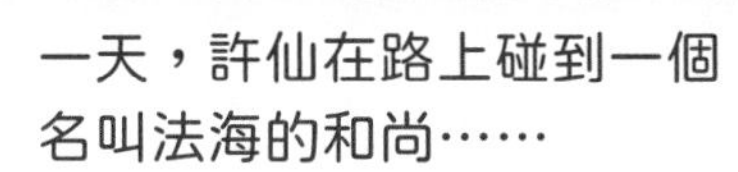

你愛上的不是人，而是妖怪，
我有法寶可以讓她現出原型！

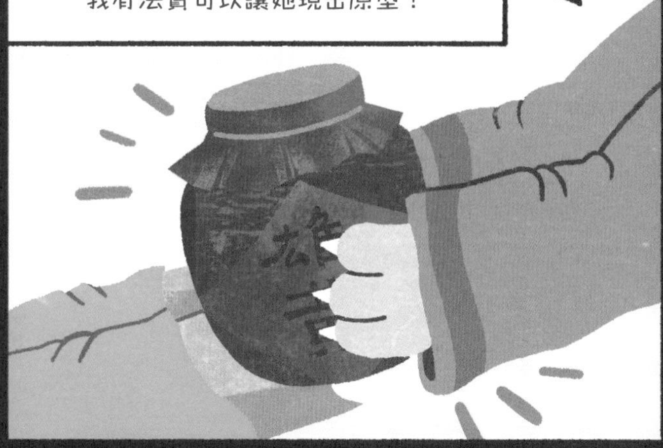

沒想到，許仙被喝下雄黃酒後現出
原形的白蛇嚇死。

白蛇精只好去偷靈芝草來救許仙。
但法海卻把許仙帶走……

白蛇一氣之下，引來東海的海水淹金山，想逼法海
把許仙交出來，沒想到卻淹死了許多人。

白蛇亂放水，是可以的嗎？

一般人開水龍頭放水來洗澡、洗東西，不會造成什麼危險，也不會構成犯罪；不過白蛇卻是施法術，把整個東海的水都引去金山寺，大水滾滾湧進金山寺，造成周遭人家的死傷慘重，這可是一種很嚴重的犯罪！

我國《刑法》的目的在於保護國民生命、身體、財產等，並懲罰違反規範或做出破壞社會行為的人。在《刑法》公共危險罪章更列了許多因故意或過失，引發公共危險的規範，舉凡損壞道路、橋梁或其他公眾往來設備、放火、酒駕、使用槍砲火藥、阻塞公共逃生空間、妨害鐵路、郵務、電話或供公眾之用水、電氣、煤氣事業者，總之只要造成公共危險的都在其中。

白蛇犯的便是《刑法》中非常特別的「決水罪」，「決水」的意思是任何足以使水流泛濫成災的行為。具體來說，像是故意製造水患，導致建築物全部泡在水裡，或是一部分泡在水裡而且泡壞了，就算是決水的一種。

根據《刑法》規範，第一種決水罪，就是「浸害現供人使用的住宅或現有人所在的建築物、礦坑或火車、電車等」。如果你故意讓水沖毀一間有人在裡面的公共廁所，就屬於這種情形。只要房子有人住且在屋內時，就算是「現供人使用」的住宅；即使是白天大家都出去上班沒人在家，放水沖毀它也是「決水浸害現供人使用之住宅」，都是一種犯罪。而這種決水罪的刑事責任最重，可以處無期徒刑或 5 年以上有期徒刑。

第二種決水罪則是「浸害現非供人使用的他人所有住宅、或現未有人所在的他人所有建築物或礦坑」，跟前面提到的情形有點不同，是針對別人擁有的空屋，而現在無人使用，像是完全沒有人在裡面的學校就屬於這種情形。這種型態的決水罪，由於沖毀的建築物「不是供人使用」，所以傷害的程度會相對比較小。不過，不管是哪一種決水，都是一種犯罪行為！

怎麼樣才會認定是「有沒有人在」呢？

但「有沒有人在」要怎麼認定？法院有不一樣的判決。曾經有法院判決認為「不能只看當下」，要判斷的是「這棟建築物平常的這個時候會不會有人在裡面」，像是一間 24 小時營業的圖書館，即使是凌晨 3、4 點也會有人在裡面。假設某天凌晨 3 點，圖書館剛好裡面完全沒有人，你趁著這個機會決水沖毀，也不能因為「偶然沒人」就主張它是「現在沒有人在裡面的建築物」。不過，也有法院判決直接講明法條就是這樣規定，所以我們只看「決水浸害」的當下建築物裡面有沒有人就好。但無論如何，都得滿足不能有人的狀態。

而這個案例中，白蛇選擇白天把水放出來，就算人們當時都去工作不在家，仍舊造成很多建築物淹水，也造成很多人生命財產上的損害。成立決水罪是完全沒有疑問的，白蛇儼然就是一個「實害犯」。

那還有其他情況會犯決水罪嗎？

另外，假如決水浸害了其他東西，造成公共危險，而這東西是屬於自己的話，可以處 2 年以下有期徒刑；而如果是浸害他人的東西，可以處 5 年以下有期徒刑。不過，如果是「不小心」決水造成損害，仍會被《刑法》用「過失決水罪」處罰。

不過實際上，我國決水罪的案例極少，畢竟我們都沒有像白蛇一樣高超的法力，可以操控那麼大的水量來沖毀建築物。有一例發生在 2003 年，當時臺北捷運新莊線在做淡水河過河段施工，工程中出現一些疏失，導致後來在颱風來襲時，淡水河暴漲而沖垮工地裡的臨時擋水牆，造成三重市區大淹水及民眾嚴重的損失，最後施工單位被法院以「過失決水」等罪判刑確定。

而在某些國家，甚至規定只要是故意決水的危險犯，無論決水行為最後有沒有造成嚴重後果，也都會有相應的刑責喔！

Q 故意把水溝堵住，造成下雨時淹水，算是犯了決水罪嗎？

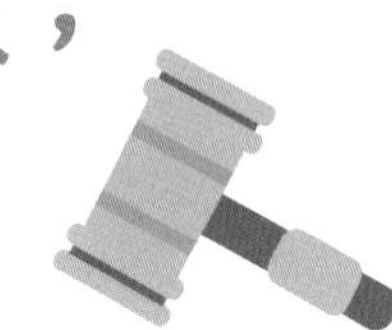

A 如果是故意把水溝堵住，造成下雨的時候淹大水，不一定是犯了決水罪喔！

2000 年，最高法院曾審理一個案子。有兩個人故意把自己家門口的排水溝用泥土堵起來，等到下雨的時候，雨水就會順流下去地勢較低的幾戶人家，造成那幾戶人家淹水。當時，他們被檢察官以決水罪起訴。不過後來最高法院認為，

「決水」必須是解放水的自然力量，讓水在地表氾濫，被告只是用土堵住普通的排水溝，還必須等到下雨，才可能讓「雨水」來不及排除而四溢，和「開放水的自然力導致氾濫」有很大的差距，因此判決不成立決水罪。

然而，要留意的是，這只代表此個案被判無罪，若未來有類似的狀況，並且夾帶其他的條件，結果或許就會不一樣了喔！

致生公共危險

在《刑法》上經常會用到這樣的用詞。如果用到「致生公共危險」，就代表犯罪的成立，是必須要真正造成危險的行為才算。而犯下這種罪刑的人，在《刑法》上我們會稱為「具體危險犯」。比如像是恐嚇危安罪，不是單純放話說要放炸彈在街上引爆就會構成這項犯罪，必須要有引發公眾恐慌等具體情狀，才會構成犯罪。

危險犯

有別於「實害犯」是有一個確實的損害結果，才會成立犯罪。有些犯罪，只要行為人的行為會引起危險，就算還沒造成危險，就構成犯罪了，像是放火、決水、破壞大眾運輸交通工具都算。這樣的行為人，在法律上稱為「危險犯」。

因為立法者推定只要做了這些行為，發生災害的機率就很高。為了預防損害的發生，只要有人一做這些行為就直接判定為犯罪，像是酒駕取締，雖然喝酒的人還沒有因為喝酒而撞到人，但有可能會造成公共危險，所以會入罪；或是故意放火，就算最後沒有造成人員傷亡，也會入罪。

20 把半個王國給人是可以的嗎？

勇敢的小裁縫

找到了！他們睡得真香甜啊！

國家領土可以說給就給嗎？

小裁縫讓巨人起爭執而兩敗俱傷，最後誤打誤撞完成國王給的任務。他因為保衛國家的安全而立下大功，讓國王只能信守承諾，把國家領土分一半給他——用現代的價值判斷來說，就是國王把屬於國家的土地「割讓」給了小裁縫。不過，這在現實社會中可是行不通的喔！

根據臺灣法律，領土的相關規定在《憲法》中，因為「領土變更」關乎全體人民的利益，所以應該交由民意決定。也就是說，不能由總統自己一個人決定割讓就割讓，必須經由民意代表投票，再交由人民公投決定。因此，像國王這樣自行決定將領土贈送給別人，在臺灣可是違反法律規範！

由於目前世界上很少屬於「無主地」的土地，依據現行的《國際法》，如果要變更領土的話，只剩下「非強制性割讓」跟「添附」兩種。也就是，得有兩個國家彼此透過條約約定，才有可能變更國家的領土；又或者是國家填海造地，新增國家的領土範圍。

不過，想要「變更」領土的話，首先需要釐清國家原本的領土範圍、大小。一般來說，領土的範圍都會採列舉式，把屬於國家的範圍名列出來，避免國際爭議。不過，由於歷史發展因素，在《憲法增修條文》中指出，臺灣的領土範圍無法採用列舉式說明，反而是用「固有疆域」來定義領土範圍。但「固有疆域」指的是從什麼時候開始的「固有」？從明帝國時期的國土範圍開始計算？還是清帝國時期？或是國民政府來臺之後？

在 1993 年立法委員們開會的時候，發現「固有疆域」一詞，會影響他們在審查行政院大陸委員會、蒙藏委員會及其他相關性質單位的預算，以及審查臺灣跟中華人民共和國或蒙古之間的雙邊或多邊相關法令時所採取的立場，因此向大法官提起釋憲。

大法官是這樣認為：「中華民國領土，憲法第四條不採列舉方式，而為『依其固有之疆域』之概括規定，並設領土變更之程序，以為限制，有其政治上及歷史上之理由。其所稱固有疆域範圍之界定，為重大之政治問題，不應由行使司法權之釋憲機關予以解釋。」是不是看完，還是不懂大法官是什麼意思呢？

用白話來說，「領土變更」是學理上稱為的「統治行為」，為了謹守權力分立的界線，司法權不應該介入。也就是說這是「政治問題」，應該要「政治歸政治，法律歸法律」。然而經過這麼多年，到目前為止，對於「固有疆域」的範圍是什麼，在法律上，我們仍然沒有答案。雖然目前臺灣從來沒有過有關「領土變更」的提案，但萬一有哪一天發生，也絕對不是總統一個人說了就算，而是必須要經過公投的決定。

將「領土」範圍劃定清楚的國家，也有其所要面對的問題。而每個國家處理的態度都不太一樣，比如加拿大對魁北克省的獨立則採取較自由、開放的態度，雖然不認為魁北克省可以直接獨立，但只要跟加拿大政府協議好即可；反之，西班牙對於加泰隆尼亞則是採取比較堅定的立場，基本上不贊同他們的獨立運動。

我國的大法官在討論「固有疆域」時，很巧妙迴避這個政治上困難的議題，而選擇自己限縮了自己的權力，把這個艱難的問題丟還給行政權去處理。也因此，在涉及高度政治的問題時，司法權究竟應該「積極」還是「自制」一點好？這裡並沒有對錯的問題，因為這涉及每個國家的歷史背景因素，也涉及個人價值選擇的問題。

「司法積極主義」是指司法權為了要落實《憲法》的精神，積極去介入政治部門的決斷，比較勇於對政治部門的判斷或立法部門所訂立的法律作出合憲與否的決定，去形塑出《憲法》想要的政策模樣；反之，「司法消極主義」則是指大法官在行使違憲審查權時，在應對立法部門或行政部門時，採取最大限度的敬意，避免對其決定做出判斷。

目前大法官的解釋，就是採取比較「自制」的態度，認為這應該是由政治部門去對話所得出的結論，而不應該僅由 15 人的大法官去決定。這樣是好的嗎？或許有人會覺得就是政治對話不出答案，才尋求大法官透過法律解釋給予判斷，但有些政治問題，似乎也不是法律就可以解決的。

像是 2022 年的俄烏戰爭，俄羅斯吞併克里米亞地區，並主張烏克蘭東部頓巴斯部分地區是俄羅斯的領土，迫使烏克蘭的領土因此變動。俄羅斯總統弗拉迪米爾 ・ 普丁主張，他們是在支持領土收復主義；不過對飽受戰火攻擊的烏克蘭，甚至是那兩個地區人民的想法、意願，可能又不是如此，這樣的國際議題十分值得討論及思考。如果你是這兩個國家的國民，面對戰爭、國家領土與主權之爭，又會是怎麼樣的想法呢？

Q 依據《國際法》，要怎麼取得領土呢？

A 傳統的《國際法》上，國家取得領土的方式有五種，包括先占、時效、添附、割讓跟征服。

「先占」是針對「無主地」而來的制度，顧名思義就是先占先得。

「時效取得」是指如果是公然、不受干擾、長期占領他國領土，也可以取得領土。「添附」包括像是因為地殼變動等自然因素導致增加的土地，或是像荷蘭那樣人為的填海造陸所形成的土地，也能取得領土。

「割讓」則根據是否具有「強制性」，分成「強制性割讓」和「非強制性割讓」。強制性割讓是伴隨戰爭而來的，比如馬關條約當時將臺灣割讓給日本，在現代來說是不行的；非強制性割讓則是指國家自願透過條約將部分領土移轉給他國的情形。

「征服」則是透過武力，強占他國的領土。

不過像是先占，因為目前世界上很少有仍然是「無主地」的土地，所以這種方式在現在幾乎不再適用。而「時效取得」由於對於取得時效的時限沒有共識，因此國際上普遍也沒有在使用。至於「征服」，則是因為聯合國憲章規定原則上「禁止武力使用」而被揚棄；因而，伴隨戰爭而來的「強制性割讓」，也不被《國際法》所承認。

也就是說，目前只剩「非強制性割讓」跟「添附」是仍在行使的。而現代的《國際法》還包括透過「全民公投」、「民族自決」或「收復失地」的方式，取得或變更領土，只不過最後一種只限於以簽訂條約這種和平的方式進行，而不能透過發動戰爭。

傳統上，最常透過「添附」取得新領土的國家，就是日本跟荷蘭了，這兩個國家透過填海造陸取得不少新領土；像是日本東京羽田機場、大阪關西國際機場，都是填海造陸的產物，不過最近環境意識逐漸提高，關於填海造陸的管制也相對有所提高。

近年來，最年輕的獨立國家是 2011 年透過全民公投的方式獨立的「南蘇丹共和國」，也是長期抗爭後，從蘇丹獨立建國；其他像是加泰隆尼亞近年來也積極透過全民公投的方式想要脫離西班牙，但目前為止還沒有成功。

另外，你一定也聽過，有些富商花了幾億元「網購」了一座小島。針對買賣島嶼，各個國家可能都有不同的法規，不過通常來說，國家能出售的小島，都是沒有人居住的地方，這時候就要注意所購買的是使用權還是所有權，如果只是使用權的話，就會有使用期限，相當於租了這座島的概念，之後是要歸還給該國政府的。

司法積極主義

原則上制定國家政策以及規範的是「政治部門」，一般來說是指「行政權」及「立法權」，才具有主動性。而司法權原則上是被動性，發生問題才會找上司法權。然而若司法權所做出來的答案，對於國家未來具有決定性，就會被稱為「司法積極主義」。例如我國釋字 748 號解釋決定了同性婚姻合法化，而非由政治部門做出來的，如此被稱為「司法積極主義」。

《國際法》

一般的國內法是作為一個國家國內的規範，對於人民具有效力。而《國際法》則是以國家作為單位來規範，條文發揮的效力是在國家與國家之間。然而因為是發生在國與國之間，常常因為政治因素使得效力備受質疑。

原來國家領土不是想給就
可以給的。在現代還需要
透過全民公投來決定呢！

少年知識家

童話陪審團 刑法篇

偷親睡美人的王子，你有罪！

作　　者｜法律白話文運動
漫　　畫｜Ahui
插　　畫｜小島研究站
責任編輯｜張玉蓉、楊琇珊

封面設計｜陳宛昀
行銷企劃｜溫詩潔、王予農

天下雜誌群創辦人｜殷允芃
董事長兼執行長｜何琦瑜
媒體暨產品事業群
總經理｜游玉雪
副總經理｜林彥傑
總編輯｜林欣靜
行銷總監｜林育菁
主編｜楊琇珊
版權主任｜何晨瑋、黃微真

出版者｜親子天下股份有限公司
地址｜台北市 104 建國北路一段 96 號 4 樓
電話｜（02）2509-2800　傳真｜（02）2509-2462
網址｜www.parenting.com.tw
讀者服務專線｜（02）2662-0332　週一～週五：09:00~17:30
讀者服務傳真｜（02）2662-6048　客服信箱｜parenting@cw.com.tw

法律顧問｜台英國際商務法律事務所・羅明通律師
製版印刷｜中原造像股份有限公司
總經銷｜大和圖書有限公司　電話：（02）8990-2588

出版日期｜2022 年 9 月第一版第一次印行
2024 年 8 月第一版第十次印行
定價｜400 元
書號｜BKKKC216P
ISBN｜978-626-305-301-4（平裝）

國家圖書館出版品預行編目 (CIP) 資料

童話陪審團．刑法篇：偷親睡美人的王子，你有罪！
／法律白話文運動作；A hui 漫畫；小島研究站插畫．-- 第一版．-- 臺北市：親子天下股份有限公司，2022.09
192 面；18.5x24.5 公分
ISBN 978-626-305-301-4（平裝）

1.CST：刑法　2.CST：通俗作品

585　111012593

圖片出處：
p.5 六三法條文 By Wdshu at zh.wikipedia, Public domain, via Wikimedia Commons
p.5 中華民國憲法的原件 By National Arichive Press, Public domain, via Wikimedia Commons

立即購買 >